KB171412

행복한 은퇴 완벽 가이드북

(부제: 성공적인 은퇴를 위한 여정)

인생업

행복한 은퇴 완벽 가이드북

발행 | 2023년 5월 1일
저자 | 인생업
디자인 | 어비, 미드저니
편집 | 어비
펴낸이 | 송태민
펴낸곳 | 열린 인공지능
등록 | 2023.03.09(제2023-16호)
주소 | 서울특별시 영등포구 영등포로 112
전화 | (0505)044-0088
이메일 | book@uhbee.net

ISBN | 979-11-93084-94-6

www.OpenAIBooks.shop

행복한 은퇴 완벽 가이드북

(부제: 성공적인 은퇴를 위한 여정)

인생업

목차

머리말

우리는 인생에서 다양한 단계를 거치며 삶의 목표와 가치를 찾아가곤 합니다. 특히 은퇴는 인생에서 중요한 전환기로, 적절한 준비와 계획이 필요한 시기입니다. 4050세대는 아직 은퇴까지 여러 해가 남아 있지만, 미리 은퇴를 대비해야 할 중요한 시기이기도 합니다. 이 책 '행복한 은퇴 완벽 가이드북'은 바로 그러한 대비를 도와줄 수 있는 종합적인 안내서입니다. 서론에서는 한국 4050세대의 현실에 대해 살펴보고, 이 책에서 다룰 주요 주제들을 소개하겠습니다.

4050세대의 현실은 다양한 면에서 어려운 상황입니다. 먼저 경제적인 측면에서 볼 때, 4050세대는 한국 경제의 빠른 성장 기간을 겪으며 성장통을 겪었습니다. 한편으로는 중산층의 확장으로 다양한 기회를 누릴 수 있었지만, 다른 한편으로는 급속한 경제 변화에 따른 불안감도 느꼈습니다. 또한 고령화와 저출산 문제로 인해, 이들은 노후 대비를 위한 사회보장 제도와 복지 정책의 변화에 맞춰 나가야 하는 상황에 직면하고 있습니다.

사회문화적인 측면에서는, 한국 사회의 가족 구조와 가치관이 급속하게 변하고 있습니다. 전통적인 가족 구조에서 벗어나 현대 사회의 다양한 가족 형태를 만나게 된 4050세대는 이 변화에 적응하면서 가족 간의 관계를 유지해 나가야 합니다. 이에 따라 은퇴 후의 가족 생활 및 사회 활동에 대한 관심이 높아지고 있습니다.

가족과의 관계를 논할 때 빼놓을 수 없는 것이 바로 부부 관계입니다. 은퇴를 앞둔 시기에, 부부 간의 소통 및 감정 지지가 중요한 역할을 합니다. 또한, 자녀와의 관계를 맺고 독립을 지원하는 것도 4050세대의 중요한 과제 중 하나입니다. 더불어 노인 부모와의 관계 역시 이들에게 많은 고민을 안겨주고 있는데, 상호 돌봄 지원과 의료 및 사회복지 서비스 이용을 통해 이 문제를 해결할 수 있습니다.

이 책에서는 은퇴를 준비하는 4050세대에게 도움이 될 수 있는 다양한 주제들을 다룹니다. 금융 계획, 건강 관리, 가족과의 관계, 사회 활동 및 라이프스타일, 은퇴 후 교육, 그리고 법률 및 정책 이해 등 여러 분야에 걸쳐 다양한 정보와 조언을 제공합니다. 이를 통해 은퇴를 준비하는 이들이 보다 성공적인 은퇴를 위한 여정을 계획하고 실행할 수 있도록 돕고자 합니다.

먼저, 재무 목표를 설정하고 투자 전략을 세우는 것은 은퇴를 위한 기본적인 준비 과정입니다. 이 책에서는 주식, 채권, 부동산 등 다양한 투자 방법을 소개하며, 은퇴 후 수익 창출 전략과 함께 부수입 창출 및 관리 팁도 제공합니다. 또한, 지출 관리와 절약법을 통해 생활비를 줄이고, 소비 습관을 개선하는 방법을 알아보겠습니다.

건강 관리 역시 은퇴 후 삶의 질을 높이는데 중요한 역할을 합니다. 이 책에서는 꾸준한 운동 프로그램, 올바른 식습관, 정기적인 건강검진 등을 통해 건강한 신체와 정신을 유지하는 방법을 소개합니다.

가족과의 관계 역시 은퇴를 준비하는 4050세대에게 중요한 과제입니다. 부부 관계 유지, 자녀와의 관계, 그리고 노인 부모와의 관계 등 다양한 가족 관계를 유지하고 발전시키는 방법을 알아봅니다.

사회 활동 및 라이프스타일은 은퇴 후 삶의 만족도를 높이는데 큰 영향을 미칩니다. 이 책에서는 자원봉사 활동, 제2의 인생 직업, 여행과 문화생활 등 은퇴 후 다양한 활동을 통해 삶의 질을 높일 수 있는 방법을 제시합니다. 또한, 은퇴 후에도 계속 배우고 성장하는 방법을 소개하기 위해 평생학습 프로그램, 기술 습득 및 활용에 대해 다룹니다.

마지막으로 법률 및 정책 이해는 은퇴를 준비하는 4050세대가 자신의 권익을 적절하게 보호하고 혜택을 누릴 수 있는 방법을 제공합니다. 노인 복지 정책, 은퇴 관련 법률 등 다양한 법률 및 정책 정보를 소개하며, 이를 활용해 더 나은 은퇴 생활을 준비하는 방법을 알아봅니다.

이렇게 다양한 주제를 다루는 이 책을 통해 은퇴를 준비하는 4050세대가 성공적인 은퇴를 위한 여정을 계획하고 실행할 수 있기를 바랍니다. 적절한 재정 계획, 건강 관리, 가족 관계 유지, 사회 활동 및 라이프스타일, 은퇴 후 교육, 법률 및 정책 이해 등 다양한 분야에서의 준비를 통해 은퇴 후 삶의 질을 높일 수 있습니다.

결론적으로, 성공적인 은퇴를 위한 마음가짐이 중요합니다. 적응과 변화를 수용하는 자세, 긍정적 사고와 목표 설정, 그리고 은퇴 후 삶의 질 향상을 위한 계획 실행 등이 필요합니다. 이 책이 바로 그러한 마음가짐을 기르고 실행에 옮기는데 도움이 되길 바라며, 이 책을 통해 많은 독자들이 성공적인 은퇴를 준비할 수 있기를 희망합니다. 이제 시작되는 여정에 힘차게 나아가는 4050세대를 응원하며, 이 책이 길잡이가 되길 바랍니다.

저자 소개

'인생업'이라는 필명으로 활동하고 있는 평범한 직장인이다. 선한 마음으로 했던 일이 잘못되면서 도의적 책임으로 2억 원이 넘는 금액을 떠안게 되는 사건으로 인해 생존을 위한 극한 절약 생활을 하게 되었다. 그 결과 외벌이 가정에서 3년간 1.1억을 상환하였으며, '취미는 돈 모으기, 특기는 빚 갚기'가 될 정도로 돈과 관련된 많은 노하우를 가지고 있다. 현재는 순자산을 늘려가며 다양한 투자와 N잡으로 경제적 자유 실현을 위해 노력하고 있으며 체득한 다양한 경험을 바탕으로 30만 회원의 네이버 대표 재테크 카페에서 칼럼니스트 및 가계부 프로젝트를 진행하고 있다. 또한 교육지원청 산하 다수의 공공기관에서 부모 경제교육 및 자녀 경제교육 분야 전문강사로 활동하고 있다.

제1장: 금융 계획

2. 재무 목표 설정

성공적인 은퇴를 준비하려면 재무 목표 설정이 중요한 요소입니다. 재무 목표란 일정 기간 동안 이루고자 하는 경제적 목표를 말합니다. 이 목표를 설정하면 은퇴 후 삶의 질을 높이기 위한 계획을 세우고 실행하는 데 도움이 됩니다. 이번 장에서는 재무 목표를 설정하는 방법과 그 중요성에 대해 알아보겠습니다.

2.1 재무 목표의 중요성

재무 목표를 설정하는 것은 은퇴 계획의 핵심입니다. 목표를 설정하면 미래의 금융 상황을 예측하고 대비할 수 있으며, 투자 전략을 세우고 예산을 분배하는 데 도움이 됩니다. 또한, 재무 목표를 통해 자산 관리와 소비 습관을 개선하고, 재정 위기를 극복할 수 있는 방법을 찾을 수 있습니다. 이러한 이유로 재무 목표 설정은 은퇴 준비 과정에서 우선 고려해야 할 사항입니다.

2.2 재무 목표 설정의 원칙

재무 목표를 설정할 때, 다음과 같은 원칙을 따라야 합니다.

현실적: 목표는 현실적이어야 합니다. 낙관적이거나 비현실적인 목표는 계획의 실패로 이어질 수 있습니다.

구체적: 목표는 구체적이고 명확해야 합니다. 추상적인 목표는 실행 가능한 계획으로 변환하기 어렵습니다.

측정 가능: 목표는 측정 가능해야 합니다. 목표의 달성 여부를 확인하기 위해 정량적 지표가 필요합니다.

시간 기반: 목표는 일정 시간 안에 달성할 수 있는 범위여야 합니다. 시간 기반 목표는 효율적인 계획 수립과 실행을 가능하게 합니다.

2.3 재무 목표 설정 과정

재무 목표를 설정하려면 다음 과정을 거쳐야 합니다.

가. 현재 자산 및 소득 상태 분석: 목표 설정을 시작하기 전에 현재의 금융 상황을 파악해야 합니다. 자산과 부채, 소득, 지출 등을 분석하여 재무 상태를 정확하게 이해합니다.

나. 미래 은퇴 소요 예상: 은퇴 후 소요되는 금액을 예상해야 합니다. 이를 위해 은퇴 후 생활비, 의료비, 여가 활동 비용 등을 고려해야 합니다. 또한, 예상되는 연금 수입과 저축, 투자 수익 등을 포함하여 전

체적인 은퇴 자금을 추산합니다.

다. 재무 목표 설정: 현재 금융 상태와 미래 소요 예상을 바탕으로 재무 목표를 설정합니다. 목표는 은퇴 자금 마련, 부채 상환, 긴급 자금 마련 등 다양한 항목을 포함할 수 있습니다.

라. 목표별 세부 계획 수립: 각 재무 목표에 대한 세부 계획을 수립합니다. 예를 들어, 은퇴 자금 마련을 위해 얼마나 저축하고 투자할 것인지, 어떤 투자 상품을 활용할 것인지 등을 결정합니다.

마. 목표 달성 여부 점검 및 수정: 재무 목표 달성 여부를 정기적으로 점검하고, 필요한 경우 목표를 수정합니다. 이 과정에서 금융 상황 변화, 시장 동향, 개인의 욕구 변화 등을 고려해야 합니다.

2.4 재무 목표 설정의 주요 고려 사항

재무 목표 설정 시, 다음과 같은 사항을 고려해야 합니다.

위험 선호도: 투자를 통해 자금을 늘리려면 일정한 위험을 감수해야 합니다. 개인의 위험 선호도에 따라 투자 전략을 세우고, 적절한 위험 관리 방안을 마련해야 합니다.

인플레이션: 물가 상승으로 인한 가치 저하를 고려하여 목표를 설정해야 합니다. 인플레이션을 감안한 목표 설정은 보다 현실적인 금융

계획을 수립할 수 있습니다.

생활비 조절: 은퇴 후 소득이 감소하므로 생활비 조절이 필요합니다. 생활비를 줄이는 방법에 대한 계획을 세워 목표를 달성하는데 도움이 됩니다. 이를 위해 필요한 지출과 불필요한 지출을 구분하고, 비용 절감 방안을 찾아야 합니다.

은퇴 나이 결정: 은퇴를 언제 시작할 것인지 결정하는 것도 중요합니다. 은퇴 나이가 빠를수록 더 많은 자금이 필요하며, 일정 수입을 창출할 수 있는 기간이 줄어듭니다. 따라서 은퇴 나이를 고려하여 목표를 설정해야 합니다.

긴급 자금 마련: 긴급한 상황에서 사용할 수 있는 긴급 자금을 마련하는 것이 중요합니다. 긴급 자금은 은퇴 후 갑작스러운 경제적 위기를 대비하는데 도움이 됩니다.

부채 관리: 부채를 상환하는 목표도 설정해야 합니다. 은퇴 전에 부채를 상환하거나 줄이면 은퇴 후 금융 부담을 줄일 수 있습니다.

2.5. 목표 설정의 실제 적용

재무 목표 설정을 통해 은퇴를 성공적으로 준비할 수 있습니다. 다음과 같은 방법으로 목표 설정을 실제로 적용할 수 있습니다.

정기적인 점검: 목표를 설정한 후, 정기적으로 점검하고 수정하는 것이 중요합니다. 금융 상황이나 개인 욕구의 변화에 따라 목표를 조정해야 합니다.

전문가 상담: 전문가의 도움을 받아 목표 설정과 계획 수립을 할 수 있습니다. 금융 전문가는 개인의 상황에 맞는 투자 전략과 자금 관리 방안을 제공해 줄 수 있습니다.

자기 교육: 금융 지식을 습득하여 목표 설정과 계획 수립에 도움이 되는 정보를 얻을 수 있습니다. 금융 서적, 강의, 워크숍 등을 통해 지식을 쌓아야 합니다.

재무 목표 설정은 은퇴를 성공적으로 준비하는 데 있어 중요한 과정입니다. 현실적이고 구체적인 목표를 세우고, 시간 기반으로 추진해야 합니다. 또한, 위험 선호도, 인플레이션, 생활비 조절 등을 고려하여 목표를 설정하고, 계획을 세우고 실행해야 합니다.

이를 통해 은퇴 후 안정적인 생활을 누릴 수 있게 됩니다. 앞서 소개한 재무 목표 설정 원칙과 과정, 고려 사항을 참고하여 4050세대를 위한 은퇴 준비를 체계적으로 진행하시길 바랍니다.

3. 투자 전략

성공적인 은퇴를 위한 여정에서 투자 전략은 중요한 요소입니다. 투자를 통해 자산을 늘리고, 미래의 소득을 확보하여 은퇴 후의 생활을 보장할 수 있습니다. 이번 장에서는 투자 전략에 대해 자세히 알아보고, 4050세대를 위한 효과적인 투자 방법을 제안하겠습니다.

3.1 투자 전략의 중요성

투자 전략은 은퇴를 위한 재무 목표 달성에 큰 도움을 줍니다. 투자를 통해 수익을 창출하면, 은퇴 자금 마련에 속도를 내고 금융 안정을 확보할 수 있습니다. 또한, 투자를 통해 인플레이션의 영향을 완화하고, 은퇴 후의 생활비를 보다 안정적으로 마련할 수 있습니다.

3.2 투자 전략 수립 과정

투자 전략을 수립하기 위해서는 다음과 같은 과정을 거쳐야 합니다.

가. 투자 목표 설정: 투자를 통해 얻고자 하는 목표를 명확히 설정해야 합니다. 예를 들어, 은퇴 자금 마련, 자녀 교육비, 주택 구입 등이 투자

목표가 될 수 있습니다.

나. 위험 선호도 파악: 개인의 위험 선호도를 파악하여, 투자 상품과 전략을 결정해야 합니다. 위험 선호도는 보수적, 중립적, 공격적으로 구분할 수 있으며, 개인의 연령, 소득, 경험 등에 따라 다를 수 있습니다.

다. 투자 기간 결정: 투자 목표를 달성하기 위한 투자 기간을 결정해야 합니다. 투자 기간에 따라 투자 상품과 전략이 달라질 수 있습니다.

라. 자산 배분: 투자 전략 수립 시, 자산을 어떻게 배분할지 결정해야 합니다. 주식, 채권, 부동산 등 다양한 자산 클래스를 고려하여 포트폴리오를 구성합니다.

마. 투자 실행 및 관리: 투자 목표, 위험 선호도, 투자 기간, 자산 배분에 따라 투자를 실행하고, 정기적으로 투자 결과를 점검하며 필요한 조정을 해야 합니다. 이 과정에서 전문가의 도움을 받거나, 자기 교육을 통해 금융 지식을 향상시킬 수 있습니다.

3.3 다양한 투자 상품 및 전략

4050세대를 위한 투자 전략을 수립할 때 고려할 수 있는 다양한 투자 상품 및 전략을 살펴보겠습니다.

가. 주식 투자: 주식 투자는 장기적으로 높은 수익률을 기대할 수 있는 투자 방법입니다. 다만, 위험도가 높으므로 위험 선호도에 따라 주식 투자 비중을 조절해야 합니다.

나. 채권 투자: 채권 투자는 안정적인 수익과 원금 보장이 가능한 투자 방법입니다. 4050세대는 은퇴를 앞두고 있으므로, 채권 투자를 통해 위험 분산과 안정적인 수익 창출을 고려할 수 있습니다.

다. 부동산 투자: 부동산 투자는 장기적인 시각에서 안정적인 수익을 창출할 수 있는 투자 방법입니다. 직접 부동산을 구입하거나, 부동산 투자 신탁(REIT)을 통해 간접적으로 투자할 수 있습니다.

라. 펀드 투자: 펀드는 전문가가 관리하는 다양한 자산으로 구성된 투자 상품입니다. 펀드를 통해 다양한 자산에 투자하며, 위험 분산과 전문가의 운용 능력을 활용할 수 있습니다.

마. 연금 및 보험 상품: 연금 및 보험 상품은 은퇴 후의 생활비를 보장하는데 도움이 되는 투자 방법입니다. 연금 상품을 통해 월별 일정 금액을 수령할 수 있으며, 보험 상품은 건강, 사고 등의 위험에 대비할 수 있습니다.

3.4 투자 전략의 장기적 관리

투자 전략을 성공적으로 관리하기 위해서는 장기적인 관리가 필요합니다. 다음과 같은 방법으로 투자 전략을 관리할 수 있습니다.

가. 정기적인 점검 및 조정: 투자 목표, 위험 선호도, 투자 기간 등이 변할 수 있으므로, 정기적으로 투자 전략을 점검하고 조정해야 합니다. 이를 통해 투자 전략이 항상 최적화된 상태를 유지할 수 있습니다.

나. 리밸런싱: 투자 상품 간의 비중이 시간이 지남에 따라 변할 수 있습니다. 이에 따라, 정기적으로 포트폴리오를 리밸런싱하여 원래의 자산 배분 비율을 유지하도록 합니다. 이를 통해 위험 분산 효과를 극대화할 수 있습니다.

다. 금융 지식 갱신 및 교육: 투자 전략을 장기적으로 관리하기 위해서는 금융 지식을 계속해서 갱신하고 교육을 받아야 합니다. 이를 통해 시장 변화에 대응할 수 있는 능력을 키울 수 있습니다.

라. 전문가와의 상담: 전문가와 상담을 통해 투자 전략에 대한 도움을 받을 수 있습니다. 전문가는 개인의 상황과 시장 상황을 종합적으로 고려하여 최적의 투자 방법을 제안해 줄 수 있습니다.

투자 전략은 성공적인 은퇴를 위한 금융 계획의 핵심 요소입니다. 4050세대를 위한 투자 전략 수립과 실행을 통해 재무 목표를 달성하고, 은퇴 후의 생활을 보장할 수 있습니다. 이러한 전략은 금융 지식 갱신, 전문가와의 상담, 정기적인 점검 및 조정 등의 방법을 통해 장기적으로 관리되어야 합니다.

4. 은퇴자금 관리

성공적인 은퇴를 위한 금융 계획의 핵심 요소 중 하나는 은퇴자금 관리입니다. 은퇴자금은 은퇴 후의 생활비, 의료비, 여행비 등 다양한 목적에 사용되며, 이를 효율적으로 관리하는 것이 중요합니다. 이번 장에서는 4050세대를 위한 은퇴자금 관리 방법에 대해 설명하겠습니다.

4.1 은퇴자금의 필요성

은퇴자금은 은퇴 후의 생활에 필요한 자금을 마련하기 위한 것입니다. 은퇴 후에는 소득이 줄어들거나 중단되기 때문에, 미리 준비된 자금을 통해 생활비를 마련해야 합니다. 또한, 노후에는 건강상의 문제가 발생할 확률이 높아져 의료비 지출이 증가할 수 있습니다. 따라서, 은퇴자금을 통해 이러한 비용을 충당할 수 있도록 준비해야 합니다.

4.2 은퇴자금 규모 산정

은퇴자금의 규모를 산정하기 위해서는 다음과 같은 과정을 거쳐야 합니다.

가. 은퇴 시기 및 기간 예측: 은퇴 시기와 은퇴 후 몇 년 동안 생활할 것인지 예측해야 합니다. 이를 통해 필요한 자금 규모를 추정할 수 있습니다.

나. 생활비 예상: 은퇴 후의 월별 생활비를 예상하여, 총 필요한 자금 규모를 계산해야 합니다. 이때, 인플레이션 영향을 고려하여 실질적인 생활비를 예측해야 합니다.

다. 기타 비용 고려: 의료비, 여행경비 등 은퇴 후 발생할 수 있는 기타 비용을 고려하여 총 필요한 자금 규모를 산정해야 합니다.

4.3 은퇴자금 마련 방법

은퇴자금을 마련하기 위한 방법은 다음과 같습니다.

가. 저축 및 투자: 일정한 금액을 저축하거나 투자하여 은퇴자금을 증가시킬 수 있습니다. 저축의경우에는 정기예금, 적금 등 안정적인 상품을 활용할 수 있으며, 투자의 경우에는 주식, 채권, 부동산 등 다양한 투자 상품을 활용하여 수익을 창출할 수 있습니다.

나. 연금 상품 활용: 연금 상품은 은퇴 후 일정 기간 동안 정기적으로 수령할 수 있는 금액을 보장하는 상품입니다. 연금 상품을 활용하면, 은퇴 후의 생활비를 안정적으로 마련할 수 있습니다.

다. 공적 연금 활용: 국가가 운영하는 공적 연금을 통해 은퇴 후의 생활비를 보장할 수 있습니다. 국민연금, 국가공무원연금, 사학연금 등의 공적 연금 제도를 활용하여, 은퇴 후의 소득을 보장할 수 있습니다.

라. 이직 및 부수입 창출: 이직을 통해 더 높은 소득을 얻거나, 부수입을 창출하여 은퇴자금을 마련할 수 있습니다. 온라인 비즈니스, 패시브 인컴 등 다양한 방법을 활용하여 추가적인 수익을 얻을 수 있습니다.

4.4 은퇴자금 관리 전략

은퇴자금을 효율적으로 관리하기 위한 전략은 다음과 같습니다.

가. 자금 분리 및 예산 관리: 은퇴자금은 일상 생활비와 구분하여 별도로 관리해야 합니다. 이를 위해 예산을 세우고, 지출을 철저히 관리하여 은퇴자금을 보호할 수 있습니다.

나. 안정적인 수익 창출: 은퇴 후에도 안정적인 수익을 창출할 수 있는 투자 상품을 활용해야 합니다. 이때, 위험을 최소화하면서도 적절한 수익률을 기대할 수 있는 상품을 선택하는 것이 중요합니다.

다. 비상금 마련: 은퇴 후에도 예기치 않은 상황에 대비하여 비상금을 마련해두는 것이 좋습니다. 이를 통해 급박한 상황에서 은퇴자금을 사용하지 않고도 문제를 해결할 수 있습니다.

라. 정기적인 점검 및 조정: 은퇴자금 관리는 지속적인 과정이기 때문에, 정기적으로 점검하고 필요에 따라 조정하는 것이 중요합니다. 이를 통해 변화하는 생활비, 투자 상황, 건강 상태 등에 대응할 수 있습니다.

마. 전문가와 상담: 은퇴자금 관리에 대한 전문가의 도움을 받을 수 있습니다. 전문가는 개인의 상황과 시장 상황을 종합적으로 고려하여 최적의 자금 관리 방법을 제안해 줄 수 있습니다.

4.5 은퇴자금 활용 방안

은퇴자금을 효과적으로 활용하기 위한 방안은 다음과 같습니다.

가. 생활비 용도: 은퇴 후의 일상 생활비로 사용할 수 있습니다. 이를 위해, 은퇴 전에 월별 예상 생활비를 산정하고 이에 맞추어 자금을 배분할 수 있습니다.

나. 의료비 지원: 노후에는 건강 상태가 악화될 확률이 높아져 의료비 지출이 증가할 수 있습니다. 따라서, 은퇴자금 중 일부를 의료비 지원 목적으로 활용할 수 있습니다.

다. 여행 및 여가 활동: 은퇴 후에는 여행이나 여가 활동에 시간을 더 많이 할애할 수 있습니다. 은퇴자금을 이러한 목적으로 사용하여 취미나 여행을 즐길 수 있습니다.

라. 후계자 지원: 은퇴자금을 통해 자녀나 후계자에게 경제적 지원을 할 수 있습니다. 이를 통해 가족 간의 결속을 강화하고 후손의 발전을 도모할 수 있습니다.

4050세대를 위한 은퇴자금 관리는 성공적인 은퇴를 위해 반드시 고려해야 할 요소입니다. 은퇴자금의 규모를 산정하고, 다양한 방법으로 마련한 뒤, 효율적인 관리 전략을 통해 장기적으로 활용할 수 있도록 준비해야 합니다. 이러한 과정을 통해 4050세대는 은퇴 후에도 안정적인 생활을 누릴 수 있을 것입니다.

5. 수입 창출 방안

성공적인 은퇴를 위한 여정에서 수입 창출 방안은 매우 중요한 부분을 차지합니다. 수입 창출 방안은 기존의 원천 소득 외에도 다양한 경로를 통해 재무적 안정을 도모할 수 있는 방법을 탐색하는 것입니다. 이러한 수입 창출 방안을 통해 은퇴자금을 보다 안정적으로 마련할 수 있으며, 은퇴 후에도 여유롭고 즐거운 생활을 누릴 수 있습니다.

5.1 부수입 창출 전략

40-50대의 경우, 은퇴를 앞두고 있기 때문에 수입 창출 방안을 검토

하는 것이 중요합니다. 부수입은 주요 소득원 외에 추가로 벌어들이는 소득을 말합니다. 부수입 창출 전략은 여러 가지 방법이 있으며, 적절한 전략을 선택하고 실행함으로써 은퇴 후에도 안정적인 소득을 확보할 수 있습니다.

5.1.1 자기 자본 활용

자산을 효율적으로 운용하여 부수입을 창출할 수 있습니다. 예금, 저금, 주식, 채권, 부동산 등 다양한 투자 상품을 활용하여 수익을 창출할 수 있습니다. 이때 주요 포인트는 개인의 자산 상황, 위험 선호도, 투자 기간 등을 고려하여 적절한 투자 상품을 선택하는 것입니다.

5.1.2 전문 지식 활용

자신의 전문 지식을 활용하여 부수입을 창출할 수 있습니다. 예를 들어, 자신의 전공 분야나 취미를 바탕으로 강의, 컨설팅, 코칭 등의 활동을 통해 소득을 얻을 수 있습니다. 이러한 방법은 은퇴 후에도 계속해서 전문 지식을 쌓고 경험을 쌓을 수 있는 장점이 있습니다.

5.1.3 사이드 비즈니스 창업

사이드 비즈니스를 창업하여 부수입을 창출할 수 있습니다. 이는 자신의 관심사와 역량을 기반으로 한 소규모 사업을 시작하는 것입니다. 온라인 쇼핑몰, 블로그, 유튜브 채널 등 다양한 분야에서 사이드 비즈니스를 시작할 수 있으며, 이를 통해 안정적인 수입원을 만들 수 있습니다.

5.1.4 프리랜서 활동

프리랜서로 활동하여 부수입을 창출할 수 있습니다. 글쓰기, 디자인, 프로그래밍, 번역 등 다양한 분야에서 프리랜서로 일할 수 있으며, 이를 통해 소득을 얻을 수 있습니다. 프리랜서 활동은 자유로운 시간 분배와 일의 다양성이라는 장점이 있습니다.

5.1.5 네트워크 마케팅

네트워크 마케팅을 통해 부수입을 창출할 수 있습니다. 네트워크 마케팅은 개인이 직접 제품을 판매하거나 회원을 모집함으로써 수익을 얻는 방식입니다. 이를 통해 소비자들에게 제품을 소개하고 판매하는 것이 가능하며, 회원들의 활동에 따라 수익을 창출할 수 있습니다. 하지만 네트워크 마케팅은 참여에 앞서 신중한 판단이 필요하며, 합법적인 기회인지 확인하는 것이 중요합니다.

5.1.6 부동산 투자

부동산 투자를 통해 부수입을 창출할 수 있습니다. 부동산 투자는 주택, 상가, 토지 등 다양한 부동산 자산에 투자하여 임대료나 가치 상승에 따른 수익을 얻는 방식입니다. 부동산 투자는 안정적인 수익원을 확보할 수 있는 장점이 있지만, 시장 상황과 개인의 자산 상황에 따라 변동성이 존재할 수 있으므로 신중한 판단이 필요합니다.

5.1.7 원격 근무

원격 근무를 통해 부수입을 창출할 수 있습니다. 코로나19 팬데믹 이후 원격 근무의 수요가 증가하였고, 다양한 직종에서 원격 근무를 통해 소득을 얻을 수 있게 되었습니다. 원격 근무는 직장에서 일하는 것과 비슷한 방식으로 소득을 창출할 수 있으며, 근무 시간과 장소에 대한 유연성이 높다는 장점이 있습니다.

5.1.8 라이센스 및 특허 활용

자신이 가진 라이센스나 특허를 활용하여 부수입을 창출할 수 있습니다. 예를 들어, 자신이 개발한 제품이나 기술에 대한 특허를 다른 기업에 라이선스를 판매하거나, 자신이 보유한 자격증을 활용하여 강의나 컨설팅을 진행할 수 있습니다. 이러한 방식은 지식재산을 활용하여 안정적인 수익원을 창출할 수 있는 방법입니다.

이상의 방법들은 부수입 창출 전략 중 일부입니다. 각자의 상황에 맞게 적절한 방법을 선택하고 실행해야 합니다. 부수입 창출을 위한 몇 가지 유용한 팁은 다음과 같습니다.

자신의 역량과 관심사를 분석하세요: 부수입 창출에 성공하기 위해서는 자신의 강점과 관심사를 파악하여 그에 맞는 전략을 세워야 합니다. 이를 통해 지속 가능한 부수입 창출 방안을 찾을 수 있습니다.

목표 설정 및 계획 수립: 부수입 창출을 위한 목표를 설정하고, 그 목표를 달성하기 위한 구체적인 계획을 세워야 합니다. 목표와 계획이 없다면, 시간과 노력을 허비할 가능성이 높아집니다.

시간 관리: 부수입 창출 활동에 적절한 시간을 투자해야 합니다. 주요 직장이나 가족 생활에 영향을 주지 않는 범위에서 시간을 배분하고, 필요에 따라 일정을 조정할 수 있도록 유연하게 대처해야 합니다.

학습과 경험: 부수입 창출을 위한 지식과 기술을 계속해서 학습하고, 경험을 쌓아야 합니다. 이를 통해 시장 변화에 대응할 수 있고, 지속적으로 소득을 창출할 수 있습니다.

위험 분산: 부수입 창출 방안에도 다양한 위험이 존재할 수 있습니다. 따라서 위험을 분산하기 위해 여러 가지 방법을 동시에 시도하는 것이 좋습니다. 이를 통해 한 방법이 실패할 경우 다른 방법으로 소득을 보장할 수 있습니다.

부수입 창출은 성공적인 은퇴를 위한 중요한 요소입니다. 여러 가지 전략을 적절하게 활용하여 안정적인 소득원을 확보하고, 은퇴 후에도 풍요로운 삶을 즐길 수 있도록 노력해야 합니다. 이 과정에서 꾸준한 학습과 노력, 그리고 시간과 자원을 효율적으로 활용하는 것이 매우 중요합니다.

5.2 온라인 비즈니스 기회 활용

인터넷의 발전으로 온라인에서 다양한 수익 창출 기회가 생겼습니다. 온라인 비즈니스는 저비용으로 시작할 수 있으며, 시간과 장소의 제약이 적은 특징이 있습니다. 온라인 비즈니스를 통한 수입 창출 방법에는 다음과 같은 것들이 있습니다.

온라인 쇼핑몰: 인터넷을 통해 상품을 판매하는 비즈니스로, 드롭쉬핑 등의 방법을 활용하여 재고 없이도 판매를 진행할 수 있습니다. 온라인 쇼핑몰을 운영하면서 다양한 마케팅 전략을 활용하여 상품 판매를

촉진할 수 있습니다.

컨텐츠 제작 및 배포: 블로그, 유튜브, 팟캐스트 등 다양한 플랫폼에서 컨텐츠를 제작하고 배포하여 광고 수익이나 후원을 받을 수 있는 방법입니다. 독특한 아이디어와 창의력을 발휘하여 시청자와 독자를 끌어들일 수 있습니다.

온라인 교육: 전문 지식이나 기술을 활용하여 온라인 강의를 제작하고 판매하는 방법입니다. 온라인 교육 시장은 지속적으로 성장하고 있으며, 전문성과 창의력을 발휘하여 다양한 강의를 개발할 수 있습니다.

온라인 비즈니스는 최근 몇 년 동안 급속도로 성장하고 있으며, 많은 사람들이 이를 통해 부수입을 창출하고 있습니다. 온라인을 통한 비즈니스 기회는 다양하며, 개인의 역량과 관심사에 따라 선택할 수 있습니다. 다음은 온라인 비즈니스 기회의 몇 가지 예시입니다.

블로그 및 유튜브 채널 운영: 자신의 지식과 경험을 공유하는 블로그나 유튜브 채널을 운영할 수 있습니다. 콘텐츠 제작 및 업로드를 통해 꾸준한 독자와 구독자를 확보하면 광고 수익과 제휴 수익을 창출할 수 있습니다.

프리랜서 및 조력자: 개인의 전문 기술과 지식을 활용하여 프리랜서로 활동할 수 있습니다. 웹 개발, 그래픽 디자인, 컨텐츠 제작 등 다양한 분야에서 온라인 상에서 일할 수 있으며, 조력자로서 다른 기업이나 개인의 업무를 지원할 수도 있습니다.

온라인 컨설팅: 자신의 전문 지식을 활용하여 온라인 컨설팅 서비스를 제공할 수 있습니다. 원격 교육 플랫폼을 활용하거나 자체 웹사이트를 구축하여 개인 또는 기업 대상의 교육 및 컨설팅을 진행할 수 있습니다.

주식 및 가상화폐 투자: 온라인을 통해 주식, 가상화폐 등 다양한 금융 상품에 투자할 수 있습니다. 이를 통해 장기적인 투자 수익을 기대할 수 있으며, 시장 동향과 개인의 투자 능력에 따라 소득을 창출할 수 있습니다.

온라인 비즈니스 기회 활용에는 초기 투자 비용이 상대적으로 적거나 없기 때문에 저비용으로 시작할 수 있는 장점이 있습니다. 또한, 온라인 비즈니스는 시간과 장소의 제약이 적어, 자신의 생활 패턴과 일정에 맞춰 유연하게 운영할 수 있다는 장점이 있습니다. 이러한 이유로 많은 사람들이 온라인 비즈니스를 통해 부수입을 창출하는 방법을 선택하고 있습니다.

온라인 마케팅 및 광고 대행: 온라인 마케팅과 광고 전략에 능숙한 사람들은 기업이나 개인 대상으로 온라인 마케팅 및 광고 대행 서비스를 제공할 수 있습니다. 이를 통해 광고 수익과 제휴 수익을 창출할 수 있습니다.

온라인 판매자: 온라인 오픈마켓이나 전문 쇼핑몰에서 개인 판매자로 활동할 수 있습니다. 가지고 있는 물건이나 직접 만든 제품을 온라인을 통해 판매하여 부수입을 창출할 수 있습니다.

애플리케이션 및 웹 개발: 앱 개발 또는 웹 개발에 관심과 능력이 있는 경우, 이를 활용하여 다양한 프로젝트에 참여하거나 직접 개발한 앱이나 웹사이트를 통해 수익을 창출할 수 있습니다.

온라인 교환 및 경매: 온라인 교환 및 경매 플랫폼을 활용하여 물건을 판매하거나, 중고 물품을 구매하여 가격차익을 통한 수익을 창출할 수 있습니다.

SNS 인플루언서: 자신의 관심사와 취향을 반영한 콘텐츠를 SNS에 업로드하여 팔로워를 확보할 수 있습니다. SNS 인플루언서는 제품 홍보, 광고, 이벤트 등을 통해 수익을 창출할 수 있습니다.

이처럼 온라인 비즈니스 기회는 다양하며, 본인의 역량과 관심사에 따라 적합한 방법을 선택하여 부수입을 창출할 수 있습니다. 그러나 온라인 비즈니스를 시작하기 전에, 시장 조사와 목표 설정, 그리고 자원 및 시간 투자에 대한 고려가 필요합니다. 또한, 온라인 비즈니스를 운영하면서 발생할 수 있는 법적 문제와 규제에 대한 이해도 필요합니다. 다음은 온라인 비즈니스를 시작하기 전에 고려해야 할 몇 가지 사항입니다.

목표 설정: 온라인 비즈니스를 시작하기 전에 단기 및 장기 목표를 설정하고, 이를 달성하기 위한 전략을 세우는 것이 중요합니다. 목표 설정을 통해 비즈니스의 방향성을 명확하게 할 수 있으며, 시간과 노력을 효율적으로 활용할 수 있습니다.

시장 조사: 시장 조사를 통해 해당 비즈니스의 경쟁력과 수요를 파악할 수 있습니다. 시장 조사를 통해 목표 고객층의 니즈를 파악하고, 시장에서 차별화된 경쟁력을 갖출 수 있는 전략을 수립할 수 있습니다.

법적 문제와 규제 이해: 온라인 비즈니스를 운영하면서 발생할 수 있는 법적 문제와 규제에 대한 이해가 필요합니다. 법적 문제와 규제를 준수함으로써, 비즈니스의 안정성과 지속성을 확보할 수 있습니다.

자원 및 시간 투자: 온라인 비즈니스를 시작하고 운영하는 데 필요한 자원과 시간을 고려해야 합니다. 자원 및 시간 투자를 효율적으로 관리함으로써, 비즈니스의 성장과 수익 창출에 긍정적인 영향을 줄 수 있습니다.

네트워크 구축: 온라인 비즈니스 성공을 위해 네트워크 구축이 중요합니다. 고객, 협력사, 동료 등과의 관계를 적극적으로 유지하고 발전시키는 것이 중요합니다. 네트워크 구축을 통해 새로운 비즈니스 기회와 정보를 얻을 수 있습니다.

온라인 비즈니스를 통해 부수입을 창출하는 것은 많은 이점이 있지만, 성공적인 비즈니스 운영을 위해서는 충분한 준비와 계획이 필요합니다. 이를 통해 온라인 비즈니스를 통한 수입 창출이 지속 가능하고 성공적일 수 있도록 관리할 수 있습니다. 또한, 온라인 비즈니스를 운영하면서 발생할 수 있는 도전과 어려움에 대처할 수 있는 태도와 끈기가 필요합니다.

지속적인 학습과 업데이트: 온라인 비즈니스 환경은 빠르게 변화하고 있기 때문에, 지속적인 학습과 업데이트가 필요합니다. 최신 기술과 트렌드를 이해하고 적용함으로써, 비즈니스의 경쟁력을 유지하고 향상시킬 수 있습니다.

소비자 만족도 관리: 온라인 비즈니스에서 소비자 만족도는 매우 중요한 요소입니다. 고객의 의견을 수렴하고, 피드백을 적극적으로 반영하여 서비스 향상에 노력해야 합니다. 높은 소비자 만족도를 유지함으로써, 비즈니스의 신뢰성과 평판을 높일 수 있습니다.

온라인 마케팅 전략: 온라인 비즈니스의 성공을 위해서는 효과적인 온라인 마케팅 전략이 필요합니다. SEO, SNS 마케팅, 이메일 마케팅 등 다양한 온라인 마케팅 방법을 활용하여, 비즈니스의 가시성을 높이고 고객을 확보할 수 있습니다.

기록과 분석: 온라인 비즈니스의 성과를 정확하게 파악하고 분석하는 것이 중요합니다. 기록과 분석을 통해 비즈니스의 강점과 약점을 파악하고, 개선 방안을 도출할 수 있습니다.

인내와 끈기: 온라인 비즈니스를 통한 부수입 창출은 즉각적인 성과

를 기대하기 어려운 경우가 많습니다. 따라서 인내와 끈기를 갖고 꾸준히 노력해야 비즈니스가 성장하고, 원하는 수익을 창출할 수 있습니다.

이처럼 온라인 비즈니스 기회 활용을 통해 부수입을 창출하는 방법은 다양하며, 본인의 역량과 관심사에 따라 적합한 방법을 선택할 수 있습니다. 성공적인 온라인 비즈니스 운영을 위해서는 준비, 계획, 실행, 관리 등 여러 단계에서의 노력이 필요하며, 지속적인 학습과 발전을 추구해야 합니다. 또한, 온라인 비즈니스 환경은 지속적으로 변화하므로 유연한 사고와 적응력이 필요합니다.

온라인 비즈니스를 통해 수입을 창출하려면 다음과 같은 과정을 따를 수 있습니다.

비즈니스 아이디어 도출: 본인의 관심사와 역량을 고려하여 온라인 비즈니스 아이디어를 도출합니다. 아이디어 도출 시 현실적인 시장 조사와 경쟁력 분석을 통해 실행 가능성을 확인해야 합니다.

비즈니스 계획 수립: 아이디어를 기반으로 비즈니스 계획을 수립합니다. 비즈니스 모델, 목표 고객, 마케팅 전략, 자금 계획 등을 포함한 상

세한 계획을 세워야 합니다.

사업 준비: 비즈니스 계획에 따라 필요한 자원과 인프라를 구축하고, 법적 절차를 준수합니다. 이 과정에서 필요한 허가, 라이선스, 도메인 등록 등의 사항을 처리해야 합니다.

비즈니스 실행: 준비된 사업을 실행합니다. 온라인 플랫폼을 구축하고, 마케팅 활동을 진행하여 고객을 확보하고 매출을 창출합니다.

비즈니스 관리 및 성장: 실행된 비즈니스를 지속적으로 관리하고 성장시킵니다. 고객의 의견을 수렴하고, 피드백을 적극적으로 반영하여 서비스를 개선해 나갑니다. 또한, 성과 분석을 통해 개선 방안을 도출하고, 새로운 비즈니스 기회를 탐색합니다.

수익 창출 및 관리: 온라인 비즈니스를 통해 창출된 수익을 관리합니다. 수익을 투자하여 비즈니스를 확장하거나, 개인의 금융 계획에 맞추어 관리할 수 있습니다.

결론적으로, 온라인 비즈니스 기회 활용을 통해 부수입을 창출하는 것은 점점 더 중요해지고 있는 시대적 트렌드입니다. 온라인 비즈니스를 통한 수익 창출은 기존의 직장이나 사업과 병행하여 진행할 수 있으며, 전문지식과 기술을 활용하여 차별화된 가치를 제공할 수 있습니다. 또한, 온라인 비즈니스는 전 세계의 고객과 소통하고 협업할 수 있는 글로벌 시장을 제공합니다.

그러나 온라인 비즈니스를 통한 부수입 창출에도 실패할 수 있는 위험이 존재합니다. 이를 최소화하기 위해서는 충분한 준비와 계획, 그리고 실행 및 관리 능력이 필요합니다. 또한, 지속적인 변화에 대응할 수 있는 유연한 사고와 적응력, 그리고 끊임없는 노력과 도전 정신이 필요합니다.

온라인 비즈니스 기회를 활용하여 수익을 창출하는 것은 도전적이지만, 성공 시 큰 보상을 얻을 수 있는 길입니다. 이를 통해 개인의 경제적 자립을 돕고, 더 나아가 사회적 가치를 창출하는 기회를 얻을 수 있습니다.

개인의 역량과 관심사에 맞춰 다양한 온라인 비즈니스 기회를 탐색하고, 준비와 실행을 철저히 하여 성공적인 부수입 창출에 도전해보세요. 이를 위해 필요한 지식과 기술을 습득하고, 시장의 변화에 유연하게 대응할 수 있는 능력을 키워 나가는 것이 중요합니다. 그렇게 함으로써 온라인 비즈니스를 통한 부수입 창출이 지속 가능하고 성공적일 것입니다.

5.3 패시브 인컴 구축 방법

패시브 인컴은 일정한 노력 없이도 지속적인 수익을 창출하는 소득원입니다. 패시브 인컴은 장기적인 경제적 안정을 추구하는데 도움이 됩니다. 패시브 인컴을 구축하는 방법에는 다음과 같은 것들이 있습니다.

부동산 투자: 부동산을 구매하여 임대하거나, 가치 상승을 기대하여 판매하는 방법입니다. 부동산 투자는 초기 투자비용이 높을 수 있지만, 장기적으로 안정적인 수익을 얻을 수 있습니다.

배당주식: 배당을 지급하는 주식을 투자함으로써, 정기적인 배당 수익을 얻는 방법입니다. 이를 통해 시장의 변동성에도 불구하고 일정 수준의 수익을 확보할 수 있습니다.

투자 포트폴리오: 다양한 자산에 투자하여 균형 잡힌 포트폴리오를 구축하는 것입니다. 이를 통해 투자 위험을 분산시키고, 시장 변동에 따

른 손실을 최소화할 수 있습니다.

5.4 부수입 창출 및 관리를 위한 팁

부수입을 효과적으로 창출하고 관리하기 위해서는 다음과 같은 팁을 참고할 수 있습니다.

자신의 관심사와 역량을 고려하여 수입 창출 방안을 선택하세요. 자신의 흥미와 장점을 활용하면 더욱 효과적으로 수익을 창출할 수 있습니다. 또한, 새로운 기술이나 업무 지식을 습득함으로써 시장에서 가치 있는 전문가가 될 수 있습니다.

목표를 설정하고 계획을 세워 체계적으로 부수입을 관리하세요. 월별 또는 연간 목표를 설정하고, 그에 따른 계획을 세워 차근차근 실행해 나갈 수 있습니다.

시간 관리를 효율적으로 하세요. 부수입 창출 활동은 본업과 병행해야 하므로, 시간을 잘 분배하여 일과 생활의 균형을 유지하는 것이 중요합니다.

부수입 활동의 성장 가능성을 고려하세요. 초기에는 소득이 적더라도, 시간이 지남에 따라 성장할 수 있는 활동을 선택하는 것이 좋습니다.

부수입 활동에서 발생한 수익은 재투자하거나 저축하는 데 활용하세요. 부수입을 통해 얻은 돈을 재투자하거나 은퇴자금으로 저축하여 미래의 재정 안정에 기여할 수 있습니다.

이상의 내용을 통해 4050세대를 위한 금융 계획 중 수입 창출 방안에 대해 알아보았습니다. 부수입 창출 전략, 온라인 비즈니스 기회 활용, 패시브 인컴 구축 방법, 그리고 부수입 창출 및 관리를 위한 팁을 실천함으로써 성공적인 은퇴를 준비할 수 있습니다. 이러한 노력들이 결국 은퇴 후에도 여유롭고 즐거운 생활을 누릴 수 있는 발판이 될 것입니다.

6. 지출 관리와 절약법

성공적인 은퇴를 위한 여정에서 지출 관리와 절약법은 또 다른 중요한 요소입니다. 적절한 지출 관리를 통해 불필요한 지출을 줄이고, 절약법을 활용하여 생활비를 아끼면, 남은 돈을 은퇴자금으로 활용할 수 있습니다. 이번 장에서는 지출 관리와 절약법에 대해 상세하게 알아보겠습니다.

6.1 생활비 절약 전략

생활비 절약은 일상생활에서 불필요한 비용을 줄이는 것을 목표로 합니다. 이를 위해 다양한 전략을 활용할 수 있습니다.

가계부 작성: 지출을 기록하여 소비 패턴을 파악하고 불필요한 지출을 줄일 수 있습니다. 가계부를 작성하면서 생활비 절약 목표를 세우고, 그 목표를 달성하기 위한 구체적인 계획을 세울 수 있습니다.

쿠폰 및 할인 정보 활용: 쇼핑, 외식, 여행 등에서 쿠폰이나 할인 정보를 활용하여 비용을 줄일 수 있습니다. 인터넷에서 쉽게 찾을 수 있는 할인 정보를 활용하여 지출을 절감할 수 있습니다.

대체품 활용: 비싼 물건을 사지 않고, 대체품을 사용하여 비용을 절약할 수 있습니다. 예를 들어, 브랜드 제품 대신에 스토어 브랜드 제품을 사용하거나, 중고 물품을 구입하는 것입니다.

6.2 소비 습관 개선 방법

소비 습관 개선은 은퇴를 위한 중요한 준비 단계입니다. 소비 습관을 개선하여 더 나은 금융 상태를 이룰 수 있습니다.

목표 의식적 소비: 구매 전에 항상 필요성을 고려하고, 물건을 구매할 때 목적과 가치를 생각하세요. 이를 통해 불필요한 구매를 줄일 수 있습니다.

간편결제 사용 제한: 간편결제는 소비를 촉진할 수 있으므로, 사용을

제한하고 현금이나 카드 결제를 활용하여 지출을 관리할 수 있습니다.

나만의 절약 목표 설정: 개인별로 다양한 절약 목표를 설정하고 이를 실천함으로써 절약에 성공할 수 있습니다. 예를 들어, 외식을 줄이거나, 커피를 집에서 만들어 갖고 다니기 등의 목표를 설정할 수 있습니다.

6.3 불필요한 지출 줄이기

불필요한 지출을 줄이는 것은 은퇴를 위한 금융 계획에 큰 도움이 됩니다. 다음과 같은 방법으로 불필요한 지출을 줄일 수 있습니다.

구독 서비스 정리: 사용하지 않는 구독 서비스를 취소하고, 필요한 서비스만 남겨두세요. 이를 통해 매달 발생하는 불필요한 비용을 절약할 수 있습니다.

고정비 절약: 전기, 가스, 통신 등의 고정비를 절약하기 위해 에너지 효율적인 가전제품을 사용하거나, 통신 요금제를 재검토하세요.

적절한 보험 선택: 보험료 지출을 줄이기 위해 현재 가입한 보험 상품을 재검토하고, 필요한 보험만 선택하세요. 이를 통해 불필요한 보험료 지출을 줄일 수 있습니다.

6.4 지출과 세금 최적화

지출과 세금을 최적화하여 전체적인 금융 상태를 개선할 수 있습니다.

세금 절약 방법 활용: 소득공제, 세액공제 등 다양한 세금 절약 방법을 활용하여 납세 부담을 줄일 수 있습니다. 이를 통해 세금 지출을 최소화하고, 절약한 금액을 은퇴자금으로 활용할 수 있습니다.

지출 계획 세우기: 단기, 중기, 장기적인 지출 계획을 세워 지출을 관리하세요. 이를 통해 불필요한 지출을 줄이고, 금융 목표를 달성할 수 있습니다.

금융 상품 활용: 적금, 정기예금 등 다양한 금융 상품을 활용하여 지출을 최적화할 수 있습니다. 이를 통해 목표에 맞는 금융 상품을 선택하고, 자금을 효율적으로 관리할 수 있습니다.

지출 관리와 절약법은 성공적인 은퇴를 위한 중요한 과정입니다. 생활비 절약 전략, 소비 습관 개선 방법, 불필요한 지출 줄이기, 지출과 세금 최적화 등의 방법을 활용하여 지출을 효과적으로 관리하고 절약할 수 있습니다. 이러한 절약법들을 실천함으로써 더 많은 돈을 은퇴자금으로 활용하고, 금융 목표를 달성할 수 있습니다.

은퇴를 대비하여 지출 관리와 절약법을 실천하는 것은 미래의 안정적인 생활을 준비하는데 큰 도움이 됩니다. 또한, 이 과정에서 가족과 함께 소비 패턴을 개선하고 생활 습관을 바꾸면, 가족 구성원 모두에게 긍정적인 영향을 미칠 것입니다.

이상으로 제1장 금융 계획 중 지출 관리와 절약법에 대한 내용을 마무리합니다. 이어지는 장에서는 은퇴 후의 생활 계획에 대해 알아보겠습니다. 이를 통해 성공적인 은퇴를 준비하고, 행복한 노후를 보낼 수 있도록 계획을 세울 것입니다.

제2장: 건강 관리

7. 건강한 신체

은퇴 후에도 건강한 삶을 누리기 위해서는 건강한 신체를 유지하는 것이 매우 중요합니다. 이번 장에서는 건강한 신체를 유지하기 위한 다양한 방법과 습관을 알아보겠습니다.

7.1 규칙적인 운동

규칙적인 운동은 신체 건강을 유지하는 데 도움이 됩니다. 운동은 심혈관 건강을 향상시키고, 체력을 높여주며, 관절 및 근육의 유연성을 유지합니다.

유산소 운동: 심장 및 폐 건강을 개선하고, 체력을 높여줍니다. 유산소 운동으로는 걷기, 달리기, 수영, 자전거 타기 등이 있습니다.

근력 운동: 근력을 향상시키고, 근육 및 관절의 유연성을 유지합니다. 근력 운동으로는 무게 들기, 푸시업, 스쿼트, 플랭크 등이 있습니다.

스트레칭: 근육을 이완시키고, 관절의 범위를 늘려줍니다. 스트레칭은 요가, 필라테스 등의 운동을 통해 할 수 있습니다.

7.2 올바른 식습관

올바른 식습관은 건강한 신체를 유지하는 데 기본이 됩니다. 건강한 식습관을 유지하면서 영양소를 균형 있게 섭취하는 것이 중요합니다.

다양한 음식 섭취: 과일, 채소, 곡물, 육류, 어패류 등 다양한 음식을 섭취하여 필요한 영양소를 충분히 섭취하세요.

적절한 식사량: 과식을 피하고, 적절한 양의 식사를 섭취하세요. 이를 통해 체중을 관리하고, 건강한 신체를 유지할 수 있습니다.

낮은 소금 및 설탕 섭취: 고혈압, 당뇨병 등의 질병을 예방하기 위해 소금과 설탕 섭취를 줄이세요.

7.3 건강검진 및 예방접종

정기적인 건강검진 및 예방접종은 건강한 신체를 유지하는 데 중요한 역할을 합니다. 건강검진을 통해 조기에 질병을 발견하고 치료할 수 있으며, 예방접종은 각종 질병으로부터 몸을 보호할 수 있습니다.

정기 건강검진: 나이와 성별에 따른 권장 건강검진 항목을 확인하고, 정기적으로 건강검진을 받으세요. 이를 통해 조기에 질병을 발견하고, 적절한 치료를 받을 수 있습니다.

예방접종: 인플루엔자, 폐렴구균, 대상포진 등의 예방접종을 받아 각 종 질병으로부터 몸을 보호하세요.

7.4 스트레스 관리

스트레스는 건강에 악영향을 미칠 수 있으므로, 스트레스 관리가 건강한 신체를 유지하는 데 중요합니다. 다음과 같은 방법으로 스트레스를 관리할 수 있습니다.

명상: 명상은 마음을 집중시키고, 이완을 도와주며, 스트레스를 해소하는 데 도움이 됩니다.

호흡 운동: 깊은 숨을 쉬며 마음을 진정시키고, 스트레스를 낮출 수 있습니다.

취미 활동: 취미 활동을 통해 재미를 느끼며, 스트레스를 해소할 수 있습니다. 음악, 미술, 독서, 요리 등 다양한 취미 활동 중에서 자신에게 맞는 것을 찾아보세요.

7.5 충분한 수면

수면은 건강한 신체를 유지하는 데 중요한 요소입니다. 충분한 수면을 통해 신체와 마음이 회복되며, 면역력이 향상됩니다. 일반적으로 성인의 경우 하루에 7~9시간의 수면이 권장되지만, 개인차가 있으므로 자신에게 맞는 수면 시간을 찾아야 합니다.

일정한 수면 습관: 매일 같은 시간에 잠자리에 들고 일어나는 것이 좋습니다. 이를 통해 체계적인 수면 패턴을 유지할 수 있습니다.

수면환경 개선: 적절한 온도와 습도를 유지하고, 조용한 환경을 조성하세요. 또한, 편안한 침구와 매트리스를 사용하여 수면의 질을 높일 수 있습니다.

스크린 타임 줄이기: 스마트폰, 컴퓨터, TV 등의 디지털 기기 사용 시간을 줄이고, 잠자리에 들기 전에는 이러한 기기를 멀리 두세요. 이는 수면을 방해하는 블루라이트로부터 눈을 보호하고, 좀 더 수월하게 잠들 수 있게 도와줍니다.

7.6 주기적인 건강 관리

신체 건강을 유지하기 위해서는 주기적으로 건강 관리를 해야 합니다. 이를 위해 다음과 같은 활동들을 실천해 보세요.

치과 검진: 정기적인 치과 검진을 통해 치아와 잇몸 건강을 관리하세

요. 건강한 입은 전체 건강에도 긍정적인 영향을 미칩니다.

안과 검진: 시력 저하와 같은 안과 질환을 조기에 발견하고 치료할 수 있도록 정기적으로 안과 검진을 받으세요.

정신 건강 관리: 정신 건강은 신체 건강과 뗄 수 없는 관계이므로, 정신 건강 관리도 함께 실천해야 합니다. 상담, 치료, 그룹 활동 등을 통해 정신 건강을 관리하세요.

이상으로 건강한 신체를 유지하기 위한 방법들을 살펴보았습니다. 은퇴 후에도 건강한 삶을 누리기 위해서는 이러한 건강 관리 방법들을 지속적으로 실천해야 합니다. 건강한 신체는 행복한 은퇴 생활의 기본이 되며, 더욱 풍요로운 노후를 보낼 수 있도록 도와줄 것입니다.

8. 건강한 정신

은퇴 후에도 건강하고 행복한 삶을 누리기 위해서는 건강한 정신을 유지하는 것이 매우 중요합니다. 이번 장에서는 건강한 정신을 유지하기 위한 다양한 방법과 습관을 알아보겠습니다.

8.1 스트레스 관리

스트레스는 건강한 정신을 유지하는 데 큰 장애물이 될 수 있습니다. 스트레스를 효과적으로 관리하는 것이 건강한 정신의 기초가 됩니다.

명상: 명상은 마음의 안정과 집중력 향상에 도움이 되며, 스트레스를 줄일 수 있습니다. 명상은 꾸준히 실천할수록 효과가 더욱 높아집니다.

호흡 운동: 깊고 느린 호흡을 통해 스트레스를 낮추고, 정신을 진정시킬 수 있습니다.

시간 관리: 일과 생활의 균형을 이루기 위해 시간을 효과적으로 관리하세요. 이를 통해 스트레스를 줄일 수 있습니다.

8.2 정신 건강 관리

정신 건강은 신체 건강과 뗄 수 없는 관계이므로, 정신 건강 관리도 함께 실천해야 합니다.

상담: 전문가와 상담을 통해 정신 건강에 대한 도움을 받을 수 있습니다. 정신적 고통이 있을 경우, 주저하지 않고 전문가와 상담하세요.

치료: 필요한 경우, 정신건강 전문가의 도움을 받아 치료를 받으세요. 정신건강 치료는 적절한 치료가 진행되면 많은 도움이 됩니다.

그룹 활동: 사회적 지지와 교류를 통해 정신 건강을 개선할 수 있습니다. 동호회, 자원봉사, 친목 모임 등 다양한 그룹 활동에 참여하여 건강한 정신을 유지하세요.

8.3 긍정적 사고

긍정적 사고는 건강한 정신을 유지하는 데 큰 도움이 됩니다. 긍정적 사고를 실천하면 스트레스와 우울감을 줄이고, 행복감을 높일 수 있습니다.

긍정적 언어 사용: 일상 대화에서도 긍정적인 언어를 사용하려고 노력하세요. 이를 통해 무의식적으로 긍정적인 사고 방식을 갖게 됩니다.

감사의 마음: 일상에서 좋았던 일들에 대해 감사하는 마음을 키워보세요. 이러한 감사의 마음은 긍정적 사고에 큰 도움이 됩니다.

목표 설정: 자신이 이루고 싶은 목표를 세우고, 이를 달성하기 위한 계획을 세우세요. 이를 통해 더욱 긍정적인 마음가짐을 갖게 됩니다.

8.4 취미와 여가 활동

취미와 여가 활동은 정신 건강에 큰 도움이 됩니다. 일상에서 즐거움을 찾고, 마음의 안정을 얻기 위해 적절한 취미와 여가 활동을 즐기세요.

취미 찾기: 나만의 취미를 찾아 시간을 보내는 것이 정신 건강에 큰 도움이 됩니다. 관심 있는 분야를 찾아 취미로 삼아 보세요

여행: 여행을 통해 새로운 경험을 얻고, 마음의 안정을 찾을 수 있습니다. 가까운 목적지부터 멀리 떠나는 여행까지, 다양한 여행을 계획해 보세요.

운동: 건강한 정신을 위해서는 꾸준한 운동이 필수입니다. 적절한 운동을 통해 스트레스를 해소하고, 기분 좋은 호르몬인 엔돌핀을 분비할 수 있습니다.

8.5 사회적 연결

사회적 연결은 건강한 정신을 유지하는 데 큰 도움이 됩니다. 다양한 사람들과 소통하며, 서로 도움을 주고받으세요.

가족과의 시간: 가족과 함께 보내는 시간을 통해 정신적인 안정을 얻

을 수 있습니다. 가족과 함께하는 시간을 소중히 하세요.

친구와의 교류: 친구와의 교류를 통해 사회적 지지를 받을 수 있습니다. 꾸준한 교류를 통해 정신 건강을 유지하세요.

커뮤니티 참여: 지역 커뮤니티에 참여하여 사회 활동에 기여하며 정신 건강을 유지할 수 있습니다. 이웃과 함께하는 시간을 소중히 하세요.

이처럼 건강한 정신을 위한 다양한 방법들을 실천해보세요. 은퇴 후에도 여전히 건강한 정신 상태를 유지하고 싶다면, 이러한 방법들을 지속적으로 실천하는 것이 중요합니다.

8.6 수면 관리

수면은 건강한 정신을 위해 필수적인 요소입니다. 충분한 수면을 통해 정신 건강을 유지하고 스트레스를 줄일 수 있습니다.

규칙적인 수면 습관: 매일 같은 시간에 잠자리에 들고 일어나는 것이 좋습니다. 규칙적인 수면 습관은 수면의 질을 높이고, 정신 건강을 개선할 수 있습니다.

수면 환경 개선: 수면 환경을 개선하여 좋은 수면을 취할 수 있도록 하

세요. 방을 어둡고 조용하게 유지하고, 적절한 온도를 조절하세요.

수면 전 루틴: 수면 전에 일정한 루틴을 가지고 있으면 수면의 질을 높일 수 있습니다. 차분한 음악을 듣거나, 명상을 하는 등의 루틴을 갖는 것이 좋습니다.

8.7 신체와 정신의 균형

신체와 정신의 균형은 건강한 삶을 위해 중요한 요소입니다. 신체 건강과 정신 건강을 함께 돌보는 것이 중요합니다.

영양 균형: 올바른 식습관을 통해 영양 균형을 맞추세요. 다양한 영양소를 섭취하면서, 건강한 신체와 정신을 유지할 수 있습니다.

정신적 활동: 독서, 퍼즐, 두뇌 트레이닝 등의 정신적 활동을 통해 정신을 건강하게 유지하세요. 이를 통해 기억력과 집중력을 향상시킬 수 있습니다.

신체 활동과 이완: 꾸준한 신체 활동과 이완을 통해 정신 건강을 개선할 수 있습니다. 요가, 스트레칭, 워킹 등 다양한 활동을 시도해 보세요.

이렇게 건강한 정신을 위해 다양한 방법을 실천하면, 은퇴 후에도 행복하고 건강한 삶을 누릴 수 있습니다. 40-50대의 여러분들이 은퇴를 준비하고 계획하는 과정에서 이러한 건강한 정신을 유지하기 위한 방법들을 꾸준히 실천하면, 은퇴 후에도 삶의 질을 높일 수 있습니다.

이제 건강한 정신과 함께 올바른 생활 습관을 갖추면, 은퇴 후의 삶도 풍요롭고 가치 있는 것으로 만들어질 것입니다.

8.8 정신적 회복력 강화

정신적 회복력은 스트레스와 역경에 대처하는 능력을 의미합니다. 이를 강화하면, 은퇴 후에도 건강한 정신을 유지하고 행복한 삶을 누릴 수 있습니다.

긍정적 태도 유지: 어려운 상황에서도 긍정적인 태도를 유지하려고 노력하세요. 이를 통해 정신적 회복력을 높일 수 있습니다.

문제 해결 능력 향상: 문제를 능동적으로 해결하는 능력을 키워보세요. 이를 통해 정신적 회복력을 강화할 수 있습니다.

지원망 구축: 가족, 친구, 이웃 등의 사회적 지원망을 구축하고 활용하세요. 이를 통해 스트레스를 공유하고 해결할 수 있습니다.

8.9 정신적 성장과 발전

은퇴 후에도 지속적으로 정신적 성장과 발전을 추구하면, 건강한 정신을 유지하고 삶의 만족도를 높일 수 있습니다.

교육과 학습: 은퇴 후에도 교육과 학습에 투자하세요. 새로운 지식과 기술을 습득함으로써 정신적 발전을 이룰 수 있습니다.

목표와 도전: 은퇴 후에도 목표를 세우고 도전하며 삶의 의미를 찾으세요. 이를 통해 정신적 성장을 이룰 수 있습니다.

창의적 활동: 예술, 공예, 글쓰기 등 창의적인 활동을 통해 정신적 발전을 추구하세요. 이를 통해 새로운 삶의 가치를 발견할 수 있습니다.

마지막으로, 은퇴를 준비하고 있는 40-50대 여러분들이 이러한 건강한 정신을 유지하기 위한 방법들을 꾸준히 실천하면, 은퇴 후에도 정신적으로 풍요롭고 만족스러운 삶을 누릴 수 있습니다. 건강한 정신은 건강한 신체와 함께 중요한 요소이므로, 이를 위한 노력을 게을리 하지 마세요.

8.10 사회적 책임감과 참여

은퇴 후에도 사회적 책임감을 가지고 사회에 기여하는 활동에 참여하면, 정신적인 만족감을 느낄 수 있습니다.

자원봉사: 지역사회에서 자원봉사 활동에 참여하세요. 이를 통해 사회에 기여하고, 정신적 만족감을 느낄 수 있습니다.

멘토링: 여러분의 지식과 경험을 다른 이들과 공유하며, 성장에 도움을 주세요. 멘토링을 통해 정신적 성장과 만족감을 얻을 수 있습니다.

환경 보호: 환경 보호 활동에 참여하여 지구의 건강을 위해 노력하세요. 이를 통해 정신적으로 만족스러운 삶을 누릴 수 있습니다.

이처럼 건강한 정신을 위한 방법들을 꾸준히 실천하고, 은퇴 후에도 지속적으로 정신적 성장과 발전을 추구함으로써, 여러분들의 삶이 더욱 풍요롭고 가치 있는 것으로 만들어질 것입니다. 건강한 정신은 은퇴 후에도 계속해서 중요한 요소이므로, 지금 부터라도 이러한 방법들을 실천하는 데 힘써보세요. 이를 통해 은퇴 후의 삶이 더욱 의미 있고 만족스러운 것으로 만들어질 것입니다.

마무리하며, 은퇴 후의 건강한 정신을 유지하기 위해서는 다양한 방법들을 꾸준히 실천해야 합니다. 스트레스 관리, 정신 건강 관리, 긍정적 사고, 취미와 여가 활동, 사회적 연결, 수면 관리, 신체와 정신의 균형, 정신적 회복력 강화, 정신적 성장과 발전, 그리고 사회적 책임감과 참여 등이 그 방법들입니다.

이러한 방법들을 통해 여러분들의 은퇴 후 삶이 행복하고 건강한 것으로 만들어질 수 있습니다. 은퇴를 준비하는 과정에서부터 건강한 정신을 위한 노력을 시작하고, 은퇴 후에도 지속적으로 실천하는 것이 중요합니다.

건강한 정신은 은퇴 후 삶의 질을 높이는 데 기여할 뿐만 아니라, 사랑하는 가족과 친구들과의 관계를 더욱 풍요롭게 만들어줍니다. 또한, 건강한 정신을 갖추면 새로운 도전과 경험에 대한 열린 마음을 가질 수 있으며, 더욱 긍정적인 삶의 태도를 유지할 수 있습니다

지금 부터라도 건강한 정신을 위한 방법들을 꾸준히 실천하여, 은퇴 후의 삶을 더욱 가치 있고 의미 있는 것으로 만들어보세요. 여러분들의 노력을 통해 건강한 정신을 유지하고, 은퇴 후에도 행복한 삶을 누리는 것이 가능합니다. 이를 통해 여러분들이 은퇴 후의 삶을 최대한 즐기며, 더 나은 세상을 만들어갈 수 있습니다.

제3장: 가족과의 관계

9. 부부 관계 유지

부부 관계는 은퇴 후 삶의 중요한 부분입니다. 은퇴 후에도 서로를 지지하고 사랑하는 관계를 유지하려면 노력과 시간을 투자해야 합니다. 이 장에서는 부부 관계를 유지하고 발전시키기 위한 전략과 방법을 살펴봅니다.

9.1 소통의 중요성

부부 관계에서 소통은 매우 중요합니다. 은퇴 후에도 서로의 생각과 감정을 공유하고 이해하려면 지속적인 소통이 필요합니다.

정기적인 대화: 일상적인 대화를 통해 서로의 생각과 감정을 나누세요. 이를 통해 더 깊은 이해와 관계가 형성됩니다.

감정 표현: 서로에 대한 감정을 솔직하게 표현하세요. 감정을 표현하면 서로의 마음을 더 잘 이해할 수 있습니다.

경청: 상대방의 이야기를 진심으로 경청하고 이해하려 노력하세요. 경청을 통해 서로의 마음을 더 가까이 느낄 수 있습니다.

9.2 동반자로서의 역할

은퇴 후에도 부부 간의 역할을 분담하고 서로를 돕는 것이 중요합니다. 이를 통해 더욱 건강한 관계를 유지할 수 있습니다.

역할 분담: 가사, 경제, 가족 관리 등의 역할을 상호 협력하여 분담하세요. 이를 통해 서로를 더욱 지지할 수 있습니다.

지지와 격려: 서로의 목표와 꿈을 지지하고 격려하세요. 이를 통해 부부 관계가 더욱 강화됩니다.

변화와 적응: 은퇴 후 생활의 변화에 대해 적응하고 이를 함께 극복하세요. 변화를 받아들이고 적응하는 것이 부부 관계를 유지하는데 도움이 됩니다.

9.3 공동의 취미와 활동

부부 간의 공동의 취미와 활동을 통해 더욱 긴밀한 관계를 유지할 수 있습니다. 은퇴 후에도 함께 즐길 수 있는 활동을 찾아보세요.

취미 공유: 서로의 취미를 공유하고 함께 즐기세요. 공동의 취미를 통해 부부간의 애정과 호감을 높일 수 있습니다.

여행: 함께 여행을 계획하고 다녀오세요. 여행을 통해 새로운 추억을 만들고, 부부 관계를 강화할 수 있습니다.

운동: 함께 걷기, 요가, 수영 등 건강한 운동을 즐기세요. 이를 통해 건강을 유지하면서 부부 관계도 개선됩니다.

9.4 감사와 칭찬

부부 관계에서 감사와 칭찬의 표현은 매우 중요합니다. 은퇴 후에도 서로에게 감사와 칭찬을 전하며 긍정적인 에너지를 느끼세요.

감사의 표현: 상대방이 해준 일에 대해 감사의 마음을 표현하세요. 이를 통해 부부 간의 사랑과 존중이 높아집니다.

칭찬과 격려: 상대방의 노력과 성취를 칭찬하고 격려하세요. 이를 통해 서로의 자존감과 관계의 질이 향상됩니다.

9.5 신뢰와 충성

신뢰와 충성은 부부 관계의 기반이 됩니다. 은퇴 후에도 서로를 신뢰하고 충성하는 관계를 유지하기 위해 노력하세요.

솔직한 대화: 서로에게 솔직한 대화를 나누며, 서로를 더욱 신뢰할 수 있는 관계를 만들어가세요.

약속 지키기: 상대방과의 약속을 반드시 지키세요. 이를 통해 신뢰와 충성을 높일 수 있습니다.

9.6 애정 표현

은퇴 후에도 서로에게 애정을 표현하며, 사랑하는 마음을 잊지 않아야 합니다.

작은 선물: 상대방을 생각하는 마음을 전하기 위해 작은 선물을 주고받으세요.

포옹과 은근한 애정 표현: 포옹이나 은근한 애정 표현을 통해 사랑하는 마음을 전하세요.

이처럼 부부 관계를 유지하기 위한 다양한 방법들이 있습니다. 은퇴 후에도 서로에게 소중한 동반자가 되기 위해 노력하고, 함께 성장하며 삶을 즐기세요.

10. 자녀와의 관계

은퇴 후에도 자녀와의 관계를 유지하고 발전시키는 것은 중요합니다. 이 장에서는 은퇴 후 자녀와의 관계를 어떻게 유지하고 발전시킬 수 있는지에 대한 방법을 살펴봅니다.

10.1 상호 존중

자녀와의 관계에서 상호 존중은 매우 중요합니다. 은퇴 후에도 자녀의 의견과 생각을 존중하며, 서로를 존중하는 관계를 유지하세요.

의견 수용: 자녀의 의견을 경청하고, 가능한 한 수용하려 노력하세요.

자립 지원: 자녀가 독립적인 삶을 살 수 있도록 지원하세요.

10.2 의사소통

자녀와의 의사소통은 관계를 더욱 강화하고 이해를 높입니다. 은퇴 후에도 지속적인 의사소통을 통해 서로의 생각과 감정을 나누세요.

정기적인 대화: 자녀와의 일상적인 대화를 통해 서로의 생각과 감정을 나누세요.

상황에 맞는 대화: 자녀의 연령과 상황에 맞는 대화를 나누세요.

10.3 지지와 격려

자녀에게 지지와 격려를 표현함으로써, 서로의 관계를 강화할 수 있습니다.

목표와 꿈 지지: 자녀의 목표와 꿈을 지지하고 격려하세요.

성취 인정: 자녀의 노력과 성취를 인정하고 칭찬하세요.

10.4 공동의 활동

자녀와 함께하는 공동의 활동을 통해 관계를 더욱 긴밀하게 만들 수 있습니다.

취미 공유: 자녀와 함께 즐길 수 있는 취미를 찾아보세요.

여행: 자녀와 함께 여행을 계획하고 다녀오세요.

10.5 자녀와의 시간 투자

자녀와의 시간 투자를 통해 서로의 애정을 나누고 관계를 발전시킬 수 있습니다.

가족 모임: 가족 모임을 통해 자녀와의 시간을 함께 보내세요.

특별한 날: 자녀의 생일이나 기념일 등 특별한 날을 함께 축하하며 소중한 추억을 만들어가세요.

10.6 자녀의 성장과 변화를 인정

자녀가 성장하면서 변화하는 것을 인정하고, 그에 따라 관계를 조절해야 합니다.

독립성 인정: 자녀의 독립성을 인정하고, 책임을 부여하세요.

변화와 적응: 자녀의 성장과 변화에 따라 관계를 유연하게 조절하세요.

10.7 서로의 경계 존중

자녀와의 관계에서도 서로의 경계를 존중하는 것이 중요합니다. 이를 통해 건강한 관계를 유지할 수 있습니다.

개인의 시간 존중: 자녀가 개인의 시간을 갖는 것을 존중하세요.

의견과 선택 존중: 자녀의 의견과 선택을 존중하며, 그들이 스스로 결정을 내릴 수 있도록 도와주세요.

10.8 도움과 지원

자녀가 필요로 할 때 도움과 지원을 아끼지 말아야 합니다. 이를 통해 서로의 애정을 키울 수 있습니다.

실질적 도움: 자녀가 어려움을 겪을 때 실질적인 도움을 제공하세요.

정서적 지원: 자녀가 위로와 격려가 필요할 때 정서적 지원을 아끼지 마세요.

이처럼 은퇴 후에도 자녀와의 관계를 유지하고 발전시키는 것이 중요합니다. 서로의 생각과 감정을 공유하고, 지지와 격려를 아끼지 않으며, 함께 시간을 보내는 것이 좋은 관계를 만들어갑니다. 자녀와의 관계를 소중하게 여기고 노력을 통해 은퇴 후에도 가족 간의 따뜻한 관계를 유지할 수 있습니다.

11. 노인 부모와의 관계

은퇴 후에는 노인 부모와의 관계를 재조명하고 관리하는 것이 중요합니다. 이 장에서는 은퇴 후 노인 부모와의 관계를 어떻게 유지하고 발전시킬 수 있는지에 대한 방법을 살펴봅니다.

11.1 의사소통

노인 부모와의 의사소통은 관계를 더욱 강화하고 이해를 높입니다. 은퇴 후에도 지속적인 의사소통을 통해 서로의 생각과 감정을 나누세요.

정기적인 대화: 노인 부모와의 일상적인 대화를 통해 서로의 생각과 감정을 나누세요.

상황에 맞는 대화: 부모님의 연령과 상황에 맞는 대화를 나누세요.

11.2 도움과 지원

노인 부모가 필요로 할 때 도움과 지원을 아끼지 말아야 합니다. 이를 통해 서로의 애정을 키울 수 있습니다.

실질적 도움: 노인 부모가 어려움을 겪을 때 실질적인 도움을 제공하

세요.

정서적 지원: 노인 부모가 위로와 격려가 필요할 때 정서적 지원을 아끼지 마세요.

11.3 상호 존중

노인 부모와의 관계에서 상호 존중은 매우 중요합니다. 은퇴 후에도 부모님의 의견과 생각을 존중하며, 서로를 존중하는 관계를 유지하세요.

의견 수용: 노인 부모의 의견을 경청하고, 가능한 한 수용하려 노력하세요.

경험과 지혜 존중: 노인 부모의 경험과 지혜를 존중하며, 배울 점을 찾으세요.

11.4 서로의 경계 존중

노인 부모와의 관계에서도 서로의 경계를 존중하는 것이 중요합니다. 이를 통해 건강한 관계를 유지할 수 있습니다.

개인의 시간 존중: 노인 부모가 개인의 시간을 갖는 것을 존중하세요.

의견과 선택 존중: 노인 부모의 의견과 선택을 존중하며, 그들이 스스로 결정을 내릴 수 있도록 도와주세요.

11.5 함께하는 시간

노인 부모와 함께하는 시간을 즐기며 가족 간의 유대를 강화하세요. 이를 통해 노인 부모와의 관계가 더욱 끈끈해집니다.

함께하는 취미 활동: 노인 부모와 함께 즐길 수 있는 취미 활동을 찾아보세요.

가족 모임 참석: 가족 모임에 참석하여 노인 부모와의 소중한 시간을 보내세요.

여행과 나들이: 노인 부모와 함께 여행이나 나들이를 통해 새로운 경험을 쌓으세요.

11.6 건강 관리

노인 부모의 건강을 관리하는 것도 노인 부모와의 관계를 강화하는데 중요한 역할을 합니다. 부모님의 건강을 돌보며 서로의 애정을 키워보세요.

정기적인 건강 검진: 노인 부모와 함께 정기적인 건강 검진을 받으세요.

신체 활동: 노인 부모와 함께 걷기, 스트레칭 등의 신체 활동을 통해 건강을 유지하세요.

올바른 식습관: 노인 부모에게 건강한 식습관을 도입하고, 함께 실천하세요.

11.7 정신적 지원

노인 부모의 정신적 건강도 중요합니다. 은퇴 후에도 부모님의 정신적 건강을 돌보며 서로의 관계를 강화하세요.

대화를 통한 정신적 지원: 노인 부모와의 대화를 통해 정신적 지원을 해주세요.

친구와의 사회 활동: 부모님의 사회 활동을 적극적으로 돕고 친구들과의 만남을 지원하세요.

취미나 목표 설정: 노인 부모와 함께 취미나 목표를 설정하고 이를 실

천하며 정신적 건강을 돌보세요.

이처럼 은퇴 후에도 노인 부모와의 관계를 유지하고 발전시키는 것이 중요합니다. 의사소통과 도움, 서로의 존중, 경계를 존중하며 함께하는 시간을 통해 노인 부모와의 관계를 더욱 끈끈하게 만들 수 있습니다. 또한, 부모님의 건강 관리와 정신적 지원을 통해 노후 생활을 함께 즐기며 유대를 더욱 강화할 수 있습니다.

노인 부모와의 관계를 유지하고 강화하는 것은 은퇴를 준비하는 40-50대에게도 큰 도움이 됩니다. 부모님과의 좋은 관계를 유지하며 자신의 노후 준비를 동시에 추진할 수 있습니다.

마지막으로, 노인 부모와의 관계를 강화하는 것은 부모님 뿐만 아니라 자신과 가족에게도 큰 의미가 있습니다. 서로의 삶을 지지하고 돕는 소중한 시간들을 통해 가족 간의 애정과 유대가 더욱 깊어질 것입니다. 이러한 가치 있는 시간들을 즐기며 성공적인 은퇴를 위한 여정을 걸어 가시길 바랍니다.

제4장: 사회 활동 및 라이프스타일

12. 자원봉사 활동

12.1 자원봉사 활동의 중요성

자원봉사 활동은 은퇴 후의 생활에서 매우 중요한 역할을 합니다. 이를 통해 사회와 연결되어 있음을 느끼고, 도움이 필요한 사람들에게 소중한 도움을 줄 수 있습니다. 또한, 자원봉사 활동은 정신적 만족감을 높이고, 스트레스를 줄이며, 건강에도 긍정적인 영향을 미칩니다.

12.2 자원봉사 활동 찾기

자원봉사 활동은 다양한 분야에서 진행되고 있습니다. 자신의 관심사와 능력에 맞는 활동을 찾아 참여할 수 있습니다.

지역 사회 봉사: 지역 주민들과 함께하는 정원 가꾸기, 환경 정화 등의 활동에 참여할 수 있습니다.

노인 복지 시설: 노인 복지 시설에서 노인들과 함께 시간을 보내거나, 생활 도움을 제공할 수 있습니다.

아동 및 청소년 지원: 학교나 돌봄시설에서 아이들과 함께 놀거나, 학습 도움을 줄 수 있습니다.

문화 및 예술 활동: 도서관, 박물관, 예술 기관 등에서 문화 활동을 지원할 수 있습니다.

재난 및 구호 활동: 자연재해 등의 긴급 상황에서 구호 활동을 도와줄 수 있습니다.

12.3 자원봉사 활동 계획 및 준비

자원봉사 활동에 참여하기 전에, 몇 가지 사항을 고려해야 합니다.

시간과 기간: 자원봉사 활동에 얼마나 시간을 투자할 수 있는지, 어떤 기간 동안 활동할 것인지 생각해보세요.

능력 및 경험: 자신이 잘하는 것이 무엇인지, 어떤 경험이 있는지 고려하여 활동을 선택하세요.

건강 상태: 자원봉사 활동에 참여하기 위해 건강한 상태를 유지하고, 활동에 적합한지 확인하세요.

필요한 교육 및 자격증: 특정한 자원봉사 활동에 참여하기 위해서는 교육이나 자격증이 필요할 수 있습니다. 필요한 교육이나 자격증을 취득하여 활동에 참여할 수 있도록 준비하세요.

12.4 자원봉사 활동을 통한 네트워크 구축

자원봉사 활동을 통해 다양한 사람들과 만날 수 있습니다. 이를 통해 새로운 친구를 사귀거나, 비슷한 관심사를 가진 사람들과 소통할 수 있는 기회가 생깁니다. 네트워크를 구축하고 유지하는 것은 은퇴 후의 사회적 활동에 도움이 됩니다.

12.5 자원봉사 활동의 장애물 및 도전

자원봉사 활동에 참여하면서 겪게 될 수 있는 도전과 장애물들이 있습니다. 이를 극복하고 성공적으로 활동에 참여하기 위해 노력해야 합니다.

익숙하지 않은 환경: 처음 시작하는 자원봉사 활동은 익숙하지 않을 수 있습니다. 새로운 환경에 적응하려면 시간이 필요할 수 있습니다.

감정적인 부담: 도움이 필요한 사람들과 함께하다 보면 감정적인 부담이 생길 수 있습니다. 이러한 감정을 극복하고 지속적으로 활동에 참여해야 합니다.

시간 관리: 은퇴 후에도 다양한 일정을 소화해야 하는 경우, 자원봉사 활동과의 시간 조율이 필요할 수 있습니다.

12.6 자원봉사 활동을 통한 개인적 성장

자원봉사 활동을 통해 개인적인 성장을 이룰 수 있습니다. 새로운 경험을 통해 배우고, 도전하며, 사회에 기여함으로써 의미 있는 은퇴 생활을 누릴 수 있습니다. 은퇴 후 자원봉사 활동을 지속적으로 참여함으로써, 건강한 라이프스타일과 사회 활동을 유지하며 성공적인 은퇴를 위한 여정을 더욱 풍요롭게 만들어가세요.

13. 제2의 인생 직업

13.1 제2의 인생 직업의 중요성

은퇴 후에도 계속 일을 하고 싶은 사람들에게 제2의 인생 직업은 중요한 선택지가 될 수 있습니다. 제2의 인생 직업은 경제적 안정을 유지하는 데 도움을 주며, 사회적 활동과 정신적 만족감을 높이는 데 기여합니다. 또한, 제2의 인생 직업을 통해 은퇴자가 지식과 경험을 활용하여 사회에 기여할 수 있는 기회를 제공합니다.

13.2 제2의 인생 직업 찾기

제2의 인생 직업을 선택할 때 고려해야 할 몇 가지 요소가 있습니다.

관심사와 열정: 자신의 관심사와 열정에 기반한 직업을 선택하면, 일에 흥미를 느끼고 지속적으로 참여할 수 있습니다.

기존 경력과 지식 활용: 은퇴 전 쌓아온 경험과 지식을 활용하여 새로운 직업에 적응할 수 있습니다.

유연한 근무 시간: 은퇴 후에는 개인적인 시간을 더 많이 갖고 싶을 수 있으므로, 유연한 근무 시간을 가진 직업을 선택하는 것이 좋습니다.

건강과 체력 고려: 은퇴 후 건강과 체력을 고려하여, 자신에게 적합한 직업을 선택해야 합니다.

13.3 제2의 인생 직업 예시

제2의 인생 직업에는 다양한 분야가 있습니다. 몇 가지 예시를 살펴보겠습니다.

컨설팅: 전문 지식을 활용하여 기업이나 개인에게 조언을 제공하는 직업입니다. 기업의 경영 전략, 인사 관리, 마케팅 등 다양한 분야에서 활동할 수 있습니다.

강사 및 교육자: 자신이 전문가인 분야에서 강의를 하거나, 교육 프로그램을 개발하고 운영할 수 있습니다. 이러한 직업은 대학, 학원, 교육 기관 등에서 활동할 수 있습니다.

창업가: 자신만의 사업을 시작하여, 제품이나 서비스를 제공할 수 있는 직업입니다. 창업을 통해 경제적 독립을 이루고, 일과 가족 생활에 대한 균형을 찾을 수 있습니다.

프리랜서: 개인적인 전문 기술을 바탕으로 독립적인 업무를 수행하는 직업입니다. 프리랜서는 디자이너, 작가, 번역가, 프로그래머 등 다양한 분야에서 활동할 수 있습니다.

비영리 단체에서의 활동: 자신의 역량과 경험을 활용하여 사회적 이슈 해결에 기여할 수 있는 직업입니다. 비영리 단체에서는 기획, 관리, 홍보 등 다양한 업무를 수행할 수 있습니다.

13.4 제2의 인생 직업을 위한 준비

새로운 직업을 시작하기 전에 몇 가지 사항을 준비해야 합니다.

업무 관련 교육 및 자격증: 새로운 직업을 시작하기 전에 필요한 교육이나 자격증을 취득해야 합니다. 이를 통해 새로운 직업에 대한 지식과 기술을 습득할 수 있습니다.

네트워크 구축: 새로운 직업에서 성공하기 위해서는 관련 업계의 네트워크를 구축하는 것이 중요합니다. 이를 통해 새로운 기회를 찾고, 협력 관계를 구축할 수 있습니다.

자금 관리: 제2의 인생 직업을 시작하기 전에 경제적 안정을 확보해야 합니다. 새로운 직업을 시작할 때 필요한 초기 투자금을 마련하고, 생활비를 관리할 수 있는 계획을 세워야 합니다.

13.5 제2의 인생 직업의 성공적인 시작과 지속

새로운 직업을 시작하고 지속하기 위해 몇 가지 전략을 적용해야 합니다.

목표 설정: 제2의 인생 직업에서 성공하기 위해서는 단기적, 중기적, 장기적 목표를 설정해야 합니다. 목표를 설정함으로써 직업의 방향성을 명확히 할 수 있습니다.

시간 관리: 새로운 직업을 시작하면서 일과 개인 생활의 균형을 유지하기 위해 시간을 효율적으로 관리해야 합니다. 이를 위해 일정을 세워 작업을 계획하고, 우선순위를 정하는 것이 중요합니다.

자기계발: 제2의 인생 직업에서 지속적으로 성장하기 위해서는 자기계발에 투자해야 합니다. 새로운 기술, 지식, 경험을 습득함으로써 직업적 역량을 강화할 수 있습니다.

건강 관리: 새로운 직업을 지속하기 위해서는 건강을 유지하는 것이 중요합니다. 규칙적인 운동, 올바른 식습관, 충분한 휴식 등을 통해 건강을 챙겨야 합니다.

적응력 강화: 제2의 인생 직업에서 성공하기 위해서는 변화에 빠르게 적응할 수 있는 능력이 필요합니다. 변화에 대처할 수 있는 태도와 문제 해결 능력을 기르는 것이 중요합니다.

의사소통 및 협업 능력: 새로운 직업에서 다양한 사람들과 함께 일하게 될 가능성이 높습니다. 따라서, 원활한 의사소통과 협업 능력을 갖추는 것이 중요합니다.

40-50대에 이르면 은퇴를 준비하고 계획하는 것이 중요합니다. 이러한 과정에서 제2의 인생 직업을 선택하면 경제적 안정과 삶의 만족도를 높일 수 있습니다. 관심사와 열정, 건강 상태, 기존 경력 등을 고려하여 적절한 직업을 선택하고, 꾸준한 자기계발과 건강 관리를 통해 제2의 인생 직업을 성공적으로 이어 나갈 수 있습니다.

14. 여행과 문화생활

은퇴 후 시간이 더 많아지면서 새로운 취미와 관심사를 찾게 됩니다. 여행과 문화생활은 여러 가지 이유로 인해 40-50대에게 인기 있는 활동 중 하나입니다. 이러한 활동은 정신적, 신체적 건강에 이롭고, 사회적 연결망을 확장하며, 새로운 경험을 쌓는 데 도움이 됩니다.

14.1 여행의 중요성과 혜택

정신 건강: 여행은 일상에서 벗어나 스트레스를 해소하고, 정신적으로 휴식을 취할 수 있는 좋은 기회입니다. 새로운 환경과 경험을 통해 마음의 안정을 찾을 수 있습니다.

신체 건강: 여행 중 다양한 야외 활동을 즐기면서 건강에 좋은 운동을 할 수 있습니다. 여행을 통해 규칙적인 신체 활동을 유지하면서 건강을 챙길 수 있습니다.

사회적 관계: 여행 중 새로운 사람들을 만나고, 다양한 문화를 경험하면서 사회적 연결망을 확장할 수 있습니다. 이러한 경험은 새로운 인간관계를 형성하고, 기존 관계를 강화하는 데 도움이 됩니다.

학습과 경험: 여행은 새로운 지식과 경험을 습득하는 좋은 기회입니다. 다양한 역사, 문화, 자연을 직접 체험하며 지식을 넓힐 수 있습니다.

14.2 문화생활의 중요성과 혜택

정신적 만족: 문화생활은 예술, 공연, 전시 등 다양한 분야에서 정신적 만족을 얻을 수 있는 활동입니다. 이를 통해 일상에서 벗어나 새로운 영감과 창의력을 발견할 수 있습니다.

사회적 교류: 문화생활은 공연이나 전시회 등의 장소에서 다른 사람들과 만나고 교류할 수 있는 기회를 제공합니다. 이를 통해 새로운 인

맥을 쌓고, 관심사를 공유하는 사람들과 소통할 수 있습니다.

지식 확장: 문화생활은 새로운 지식과 인식을 습득하는 데 도움이 됩니다. 다양한 예술 작품과 전시, 공연을 관람하며 새로운 관점과 이해를 얻을 수 있습니다.

창의력 개발: 문화생활을 즐기면서 예술 작품이나 공연에 참여하게 되면 창의력을 키울 수 있습니다. 이를 통해 자신만의 독특한 표현 방식과 아이디어를 발전시킬 수 있습니다.

14.3 여행과 문화생활을 즐기는 팁

목표와 계획 설정: 여행과 문화생활을 즐기기 전에 목표와 계획을 세우는 것이 중요합니다. 이를 통해 자신이 원하는 경험을 얻을 수 있으며, 시간과 비용을 효율적으로 활용할 수 있습니다.

예산 관리: 여행과 문화생활에 따른 비용을 고려해야 합니다. 필요한 비용을 사전에 산정하고, 여행이나 문화 행사를 계획할 때 예산에 맞게 선택해야 합니다.

지역 문화 존중: 여행지에서 현지 문화와 관습을 존중하며, 문화 생활을 즐기는 것이 중요합니다. 이를 통해 서로에게 좋은 인상을 남기고,

더욱 풍부한 경험을 얻을 수 있습니다.

개인의 취향 고려: 여행이나 문화생활에서 자신이 좋아하는 것을 찾아 즐기는 것이 중요합니다. 이를 통해 자신에게 가장 맞는 여행이나 문화 행사를 선택할 수 있습니다.

40 50대에 이르면 은퇴를 준비하며 새로운 취미와 관심사를 찾게 됩니다. 여행과 문화생활은 이러한 과정에서 중요한 역할을 차지하며, 정신적, 신체적 건강에 도움을 주고, 사회적 연결망을 확장하며, 새로운 경험을 쌓는 데 도움이 됩니다. 여행과 문화생활을 계획하고 즐기면서 은퇴 생활을 더욱 풍요롭게 만들 수 있습니다.

제5장: 은퇴 후 교육

15. 평생학습 프로그램

평생학습은 은퇴 후 새로운 취미와 관심사를 발견하고, 지적 호기심을 충족시키는 데 도움이 되는 활동입니다. 평생학습 프로그램은 다양한 분야에서 지식과 기술을 습득할 수 있는 기회를 제공하며, 은퇴자들에게 적응력, 창의력, 사회성 등을 개발하는 데 도움이 됩니다. 이번 장에서는 평생학습 프로그램의 중요성과 혜택, 그리고 은퇴 후 교육을 즐기는 방법에 대해 알아보겠습니다.

15.1 평생학습의 중요성과 혜택

지식 확장: 평생학습을 통해 다양한 분야의 지식을 얻을 수 있습니다. 이를 통해 지적 호기심을 충족시키고, 새로운 관심사를 발견할 수 있습니다.

적응력 개발: 은퇴 후 새로운 환경에 적응하는 데 도움이 되는 스킬을 배울 수 있습니다. 이를 통해 변화하는 사회와 기술에 대응할 수 있는 능력을 키울 수 있습니다.

창의력 강화: 평생학습은 창의력을 발전시키는 데 도움이 됩니다. 다양한 지식과 경험을 바탕으로 새로운 아이디어를 생각하고, 문제 해결 능력을 향상시킬 수 있습니다.

사회성 향상: 평생학습 프로그램에 참여하면 다른 사람들과 만나고 교류할 수 있는 기회를 얻을 수 있습니다. 이를 통해 사회적 네트워크를 확장하고, 새로운 인간관계를 형성할 수 있습니다.

15.2 평생학습 프로그램의 종류와 선택 방법

대학 및 전문학원: 은퇴자를 위한 교육 프로그램을 제공하는 대학과 전문학원이 있습니다. 이러한 기관에서는 다양한 분야의 전문 지식과 기술을 배울 수 있는 기회를 제공합니다.

온라인 강좌: 인터넷을 통해 다양한 분야의 강좌를 들을 수 있습니다. 이를 통해 시간과 장소에 구애받지 않고 교육을 받을 수 있습니다.

커뮤니티 센터 및 도서관: 지역 커뮤니티 센터와 도서관에서도 다양한 평생학습 프로그램이 제공됩니다. 이러한 프로그램을 통해 취미와 관심사에 맞는 교육을 받을 수 있습니다.

동호회 및 모임: 관심사를 공유하는 사람들과 함께 모여 지식과 경험을 나누는 동호회와 모임도 좋은 학습 기회를 제공합니다. 이를 통해 새로운 사람들을 만나고, 서로의 경험과 지식을 공유할 수 있습니다.

해외 교육 프로그램: 다양한 해외 교육 프로그램을 통해 전 세계적인 시각으로 지식을 확장할 수 있습니다. 이를 통해 다양한 문화와 언어를 경험하며, 국제적인 관점을 갖춘 지식인이 될 수 있습니다.

평생학습 프로그램을 선택할 때는 개인의 관심사와 필요에 맞는 프로그램을 찾는 것이 중요합니다. 또한, 학습 목표를 설정하고, 시간과 비용을 효율적으로 활용하는 방법을 고려해야 합니다.

15.3 평생학습을 즐기는 방법

꾸준한 학습 습관: 평생학습을 즐기기 위해서는 꾸준한 학습 습관을 기르는 것이 중요합니다. 일정 시간을 정해 놓고 매일 학습에 투자하는 것이 좋습니다.

목표 설정: 학습의 목표를 명확히 설정하고, 그에 따른 계획을 세우는 것이 중요합니다. 이를 통해 학습에 대한 동기를 유지하고, 효과적인 학습을 할 수 있습니다.

다양한 학습 방법 활용: 서적, 인터넷, 강의, 동영상 등 다양한 학습 자료와 방법을 활용하여 지식을 습득하는 것이 좋습니다. 이를 통해 적합한 학습 방식을 찾아 효과적인 학습을 할 수 있습니다.

학습 모임 참여: 평생학습을 위한 모임이나 동호회에 참여하면, 다른 사람들과 지식과 경험을 공유하며 함께 성장할 수 있습니다. 이러한 모임에서는 서로 격려하고 도움을 주면서, 학습의 동기와 즐거움을 유지할 수 있습니다.

학습 성과 공유: 배운 지식과 기술을 다른 사람들과 공유하며, 서로의 성장을 도모할 수 있습니다. 블로그나 SNS 등을 통해 학습 과정과 성과를 기록하고 공유하는 것도 좋은 방법입니다.

자기 평가 및 반성: 주기적으로 학습한 내용을 되돌아보며, 자기 평가와 반성을 통해 학습의 질을 높일 수 있습니다. 이를 통해 더 나은 방향으로 학습을 이어 나갈 수 있습니다.

평생학습은 은퇴 후 지식과 경험을 쌓아가며, 삶의 질을 높이는 데 큰 도움이 됩니다. 다양한 평생학습 프로그램을 활용하고, 적절한 학습 방법을 찾아 지속적으로 성장하는 은퇴 생활을 즐기는 것이 중요합니다. 이를 통해 건강한 정신과 사회성을 유지하며, 은퇴 후 삶의 만족도를 높일 수 있습니다.

16. 기술 습득 및 활용

16.1 기술 습득의 중요성

은퇴 후 기술 습득 및 활용은 새로운 삶의 질과 만족도를 높이는데 큰 도움이 됩니다. 최근에는 디지털 기술과 인공지능, 빅데이터 등과 같은 혁신적인 기술이 삶의 많은 영역에 영향을 미치고 있습니다. 이러한 기술들을 습득하고 활용함으로써 은퇴자들은 삶의 다양한 영역에서 편리함과 효율성을 누릴 수 있습니다.

16.2 기술 습득 방법

인터넷 강의 및 동영상: 인터넷 강의와 동영상을 통해 원하는 기술을 쉽고 편리하게 습득할 수 있습니다. YouTube, Coursera, Udemy 등 다양한 플랫폼에서 원하는 기술에 대한 강의를 찾아볼 수 있습니다.

도서 및 전문 서적: 도서 및 전문 서적을 통해 기술에 대한 깊이 있는 지식을 습득할 수 있습니다. 책을 통해 기초부터 차근차근 학습하며 기술을 익힐 수 있습니다.

평생교육 프로그램: 여러 기관에서 제공하는 평생교육 프로그램을 통해 기술 습득이 가능합니다. 이러한 프로그램을 통해 전문가의 지도

를 받으며 체계적으로 기술을 배울 수 있습니다.

동호회 및 모임: 기술에 관심이 있는 사람들과 함께 모여 지식과 경험을 공유하는 동호회와 모임을 참여할 수 있습니다. 이를 통해 실습과 경험을 통한 기술 습득이 가능합니다.

16.3 기술 활용 방법

생활 속 활용: 습득한 기술을 일상 생활에서 활용하여 편리함과 효율성을 누릴 수 있습니다. 예를 들어, 스마트폰, 컴퓨터, 가전제품 등의 디지털 기기를 능숙하게 사용하면 생활이 편리해집니다.

의사소통 및 정보 검색: 기술을 활용하여 다양한 의사소통 도구와 정보 검색을 원활하게 이용할 수 있습니다. 스마트폰과 컴퓨터를 이용해 소셜 미디어, 이메일, 메신저 등을 활용하면 가족, 친구, 지인들과 소통이 용이해집니다. 또한, 인터넷 검색을 통해 필요한 정보를 신속하게 찾을 수 있어 효율성이 높아집니다.

취미 및 여가 활동: 기술을 익혀 취미나 여가 활동에서 활용할 수 있습니다. 예를 들어, 사진, 동영상 편집, 프로그래밍 등 다양한 기술을

배워 취미로 즐길 수 있습니다. 이를 통해 삶의 만족도를 높일 수 있습니다.

사이드 허슬 및 창업: 기술 습득을 통해 사이드 허슬이나 창업에 도전할 수 있습니다. 예를 들어, 웹 개발, 그래픽 디자인, 온라인 마케팅 등의 기술을 활용하여 창업 아이디어를 구체화하고 실행에 옮길 수 있습니다. 이를 통해 경제적인 안정을 추구할 수 있습니다.

지식 공유 및 커뮤니티 활동: 습득한 기술을 다른 사람들과 공유하며, 지역 사회 및 온라인 커뮤니티에 기여할 수 있습니다. 블로그, SNS, 동호회 등을 통해 기술 지식을 공유하고, 서로 도움을 주고받는 활동을 통해 의미 있는 관계를 만들 수 있습니다.

기술 습득 및 활용은 은퇴 후 삶의 만족도를 높이는 데 큰 역할을 합니다. 최신 기술의 발전에 따라 점점 더 많은 영역에서 기술의 활용이 필요하게 되므로, 은퇴자들에게도 기술 습득의 중요성이 커지고 있습니다. 지속적으로 새로운 기술을 배우고 활용함으로써, 은퇴 후에도 활기찬 삶을 누릴 수 있습니다.

제6장: 법률 및 정책 이해

17. 기술 습득 및 활용

노인 복지 정책은 고령화 사회가 빠르게 진행되는 한국에서 중요한 이슈 중 하나입니다. 40-50세대는 노후를 대비하기 위해 다양한 노인 복지 정책에 대한 이해와 이를 활용하는 방법을 알아야 합니다. 이번 장에서는 한국의 주요 노인 복지 정책에 대해 알아보겠습니다.

17.1 기초연금제도

기초연금제도는 국민연금보다 저소득 노인층에 초점을 맞춘 제도로, 일정한 소득 기준 이하의 노인들에게 매월 일정액의 연금을 지급하는 제도입니다. 기초연금은 고령자가 건강한 노후 생활을 보장하기 위해 도입된 제도로, 만 65세 이상의 국민 대상으로 지원됩니다. 소득 및 재산 기준에 따라 지급액이 차등 지원되며, 신청 방법과 절차는 지자체에서 담당하고 있습니다.

17.2 노인장기요양보험

노인장기요양보험은 만 65세 이상 노인 또는 만 40세 이상의 치매 환자를 대상으로 하며, 장기요양이 필요한 노인들에게 요양 서비스를 제공하는 제도입니다. 요양 서비스에는 요양시설 이용, 방문요양, 방문목욕, 방문간호 등 다양한 서비스가 포함되어 있습니다. 지원 대상과 서비스 범위는 장기요양급여 심사를 통해 결정되며, 신청은 거주지 관할 읍·면·동 주민센터에서 할 수 있습니다.

17.3 노인일자리 사업

노인일자리 사업은 고령자들에게 일자리를 제공하여 경제적 자립을 도모하고 삶의 질 향상에 기여하는 정책입니다. 지자체와 노인복지시설 등에서 운영되는 다양한 일자리 프로그램이 있으며, 참여 시 일정한 급여를 지급받을 수 있습니다. 일자리 프로그램에 참여하려면 거주지 관할 읍·면·동 주민센터에 문의하거나 노인일자리지원센터를 통해 신청할 수 있습니다.

17.4 노인 복지 시설

한국에서는 다양한 노인 복지 시설이 운영되고 있어 고령자들이 안전하고 건강한 생활을 영위할 수 있도록 지원하고 있습니다. 노인복지시설에는 노인요양시설, 노인주거복지시설, 노인복지관 등이 포함되며, 이러한 시설은 노인들의 건강 관리, 생활 지원, 여가 활동 등 다양한 서비스를 제공합니다. 이용을 원하는 경우, 해당 시설에 문의하여 신청 절차를 밟을 수 있습니다.

17.5 노인 건강 관리 프로그램

고령화 사회에서 노인 건강 관리는 매우 중요한 이슈입니다. 한국 정부는 노인들의 건강한 노후를 지원하기 위해 다양한 건강 관리 프로그램을 운영하고 있습니다. 이러한 프로그램에는 노인 건강검진, 노인 치매 예방 및 관리 프로그램, 노인 건강증진 사업 등이 포함됩니다. 이러한 프로그램을 통해 노인들은 자신의 건강 상태를 체크하고 건강한 생활습관을 유지할 수 있습니다.

17.6 세제 혜택 및 지원

한국 정부는 노인들에게 다양한 세제 혜택 및 지원을 제공하고 있습니다. 이에는 노인 전용 할인혜택, 노인 복지 시설 사용 시 지원금, 의료비 지원 등이 포함됩니다. 이러한 혜택을 받기 위해서는 일정한 요건을 충족해야 하며, 신청 절차를 거쳐야 합니다. 자세한 내용은 거주지 관할 세무서나 읍·면·동 주민센터에서 확인할 수 있습니다.

이상으로 한국의 노인 복지 정책에 대해 알아보았습니다. 4050세대는 노후를 대비하여 이러한 정책들을 적극 활용하고, 필요한 서비스를 이용함으로써 건강하고 행복한 은퇴 생활을 준비할 수 있습니다. 또한, 정부의 다양한 노인 복지 정책 변화에 유의하여 최신 정보를 파악하고, 이를 적용하는 것이 중요합니다. 이를 위해 각종 정보를 주기적으로 확인하고, 거주지 관할 주민센터, 세무서 등 관련 기관에서 제공하는 상담 서비스를 이용하면 도움이 될 것입니다.

17.7 은퇴자를 위한 주거 지원 정책

은퇴 후 주거에 관한 고려 사항이나 어려움을 겪을 수 있는 은퇴자들을 위해 한국 정부는 다양한 주거 지원 정책을 마련해 놓았습니다. 이에는 공공임대주택, 노인주거복지시설, 행복주택, 주거급여 등이 포함되어 있습니다. 이러한 주거 지원 정책을 활용하면 은퇴자들이 안정적인 주거 환경을 갖출 수 있습니다. 신청 방법과 요건은 거주지 관할 주민센터에서 확인할 수 있습니다.

17.8 은퇴자를 위한 법률 상담 및 지원 서비스

은퇴 후 법률 문제에 직면할 경우, 지원을 받을 수 있는 법률 상담 및 지원 서비스가 있습니다. 이를 통해 은퇴자들은 노후 생활에 필요한 법률적 지원을 받을 수 있습니다. 이에는 무료 법률상담, 무료 변호사 선임 지원, 각종 소송비용 지원 등이 포함되어 있습니다. 이러한 서비스를 이용하려면 지역 법률지원센터나 민사법률지원센터를 방문하면 됩니다.

17.9 은퇴자를 위한 교육 및 교육비 지원

은퇴 후 교육을 통해 새로운 기술이나 지식을 습득하려는 은퇴자들을 위해 정부는 다양한 교육 프로그램과 교육비 지원을 제공하고 있습니다. 이에는 노인 대학, 평생학습센터, 직업능력 개발 프로그램 등이 포함되어 있습니다. 일부 프로그램은 교육비 지원을 받을 수 있어, 경제적 부담을 덜 수 있습니다. 신청 방법과 요건은 해당 교육기관이나 거주지 관할 주민센터에서 확인할 수 있습니다.

이상으로 한국의 노인 복지 정책에 대해 알아보았습니다. 40-50세대는 이러한 정책들을 적극 활용하여 건강하고 행복한 은퇴 생활을 준비할 수 있습니다. 노후를 대비하기 위해서는 미리 다양한 노인 복지 정책에 대한 이해와 이를 활용하는 방법을 알아야 합니다. 이를 위해 각종 정보를 주기적으로 확인하고, 거주지 관할 주민센터, 세무서 등 관련 기관에서 제공하는 상담 서비스를 이용하면 도움이 될 것입니다.

또한, 가족, 이웃, 지역사회와의 연대도 은퇴생활의 질을 높이는 데 중요한 요소입니다. 은퇴 후 시간을 활용해 이웃과의 소통을 높이고, 지역사회 활동에 참여하면 정신적으로 건강한 노후 생활을 누릴 수 있습니다.

자녀와의 관계를 유지하고 발전시키는 것도 노후 생활의 한 축입니다. 자녀와 원활한 소통을 통해 서로의 생활 공간을 존중하고 이해하면서 동시에, 감정적 지지와 어떤 어려움이 발생했을 때 서로 돕는 모습을 보여주는 것이 중요합니다.

4050세대는 노후를 대비한 철저한 계획과 준비를 통해 건강하고 행복한 은퇴 생활을 꿈꿀 수 있습니다. 정부의 다양한 노인 복지 정책을 적극 활용하고, 가족과 지역사회와의 소통 및 연대를 높여 이러한 목표를 실현해 나갈 수 있습니다. 앞서 소개한 노인 복지 정책들을 참고하여, 더 나은 은퇴 생활을 준비하고 즐길 수 있도록 노력하시길 바랍니다.

18. 은퇴 관련 법률

은퇴를 준비하는 40-50세대에게 은퇴 관련 법률에 대한 이해는 필수적입니다. 여러 가지 법률이 있지만, 이 장에서는 은퇴와 밀접한 관련이 있는 다음 법률들을 주요하게 살펴봅니다.

1. 국민연금법

국민연금법은 국민들의 노후와 질병, 장해, 사망 등의 생계보장을 위한 연금제도를 규정한 법률입니다. 이 법률에 따라 근로자와 사업주는 국민연금에 가입하고 납부해야 하며, 노후에는 일정 금액의 연금을 받게 됩니다. 연금 수급 연령과 금액은 납부 기간과 납부액에 따라 달라지므로, 자세한 내용은 국민연금공단의 안내를 참고하시기 바랍니다.

2. 고용보험법

고용보험법은 구직자, 근로자, 그리고 사업주에게 일정한 보험 혜택을 제공하는 법률입니다. 구직자는 구직활동 중에 구직급여를 받을 수 있으며, 은퇴 후 일자리를 찾는 사람들에게도 도움이 됩니다. 또한, 근로자와 사업주는 고용안정, 직업능력개발, 그리고 고용복지 서비스를 받을 수 있습니다.

3. 산재보험법

산재보험법은 근로자가 업무상 사고로 인한 질병이나 부상, 장해, 사망 등의 위험에 대비하여 산재보험을 받을 수 있도록 하는 법률입니다. 이 법률에 따라 근로자는 근로기준법에 따른 고용주의 책임 외에도 추가적인 보호를 받을 수 있습니다.

4. 개인연금저축법

개인연금저축법은 국민들의 노후자금 확보를 돕기 위한 개인연금제도를 규정한 법률입니다. 이 법률에 따라 개인이 노후를 대비한 저축을 할 수 있으며, 일정 금액 이상의

저축을 하게 되면 세제 혜택을 받을 수 있습니다. 개인연금저축은 금융기관에서 제공하는 상품 중 선택하여 가입할 수 있으며, 납입기간과 금액에 따라 연금 수령액이 결정됩니다. 개인연금저축의 세부 내용과 가입 방법은 금융감독원의 안내를 참고하시기 바랍니다.

5. 노인복지법

노인복지법은 노인들의 건강, 경제적 안정, 사회 참여, 그리고 존엄한 노후생활을 보장하기 위한 복지정책을 규정한 법률입니다. 이 법률에 따라 은퇴한 노인들은 건강검진, 요양시설 이용, 노인주거지원, 그리고 문화·여가 프로그램 등 다양한 복지 서비스를 받을 수 있습니다. 노인복지 서비스의 이용 방법과 자격 조건은 보건복지부의 안내를 참고하시기 바랍니다.

6. 노인일자리지원법

노인일자리지원법은 은퇴 후 노인들이 경제적 자립과 사회참여를 돕기 위한 일자리를 제공하는 법률입니다. 이 법률에 따라 60세 이상의

노인들은 지역사회, 공공기관, 그리고 사회복지시설 등에서 일할 수 있는 일자리를 찾을 수 있습니다. 노인일자리 프로그램의 이용 방법과 자격 조건은 고용노동부의 안내를 참고하시기 바랍니다.

이처럼 은퇴를 앞둔 4050세대는 다양한 은퇴 관련 법률들을 숙지하고 이를 바탕으로 자신의 노후 생활을 계획하는 것이 중요합니다. 법률 및 정책의 변화에 유의하며, 적절한 서비스와 혜택을 활용하여 안정적인 은퇴 생활을 준비하시기 바랍니다.

맺음말

19. 성공적인 은퇴를 위한 마음가짐

성공적인 은퇴를 위한 여정: 4050세대를 위한 완벽한 가이드북은 4050세대가 은퇴를 준비하고 계획하는데 필요한 모든 정보를 제공하는 종합적인 안내서입니다. 이 책을 통해 은퇴를 앞둔 이들은 금융 계획, 건강 관리, 가족과의 관계, 사회 활동 및 라이프스타일, 은퇴 후 교육, 그리고 법률 및 정책 이해 등 다양한 주제에 대해 배울 수 있습니다. 이러한 주제들을 종합하여 성공적인 은퇴를 위한 체계적인 준비를 할 수 있습니다.

이 책의 결론에서는 앞서 다룬 주제들을 바탕으로 은퇴를 준비하는 과정에서 가장 중요한 것들을 다시 한번 짚고 넘어가겠습니다.

첫째, 금융적 안정은 은퇴를 준비하는데 가장 중요한 요소 중 하나입니다. 재무 목표를 설정하고, 투자 전략을 세우며, 은퇴자금 관리를 철저히 하여 안정적인 노후를 보장해야 합니다. 또한 수입 창출 방안을 고려하고, 지출 관리와 절약법을 실천함으로써 경제적 안정을 이룰 수 있습니다.

둘째, 건강한 신체와 정신은 노후를 행복하게 보내기 위해 반드시 필요한 것입니다. 은퇴 후에도 꾸준한 운동과 올바른 식습관을 유지하며, 스트레스 관리와 정신건강에도 신경 써야 합니다.

셋째, 가족과의 관계는 은퇴 후 인생에서 큰 행복과 만족감을 가져다 줍니다. 부부 관계를 유지하고, 자녀와의 소통을 강화하며, 노인 부모와의 관계를 돌보는 것이 중요합니다.

넷째, 사회 활동 및 라이프스타일은 은퇴 후 삶의 질을 높여줍니다. 자원봉사 활동, 제2의 인생 직업, 여행과 문화생활 등을 통해 새로운 도전과 경험을 즐기며, 은퇴 생활을 더욱 풍요롭게 만들어야 합니다.

다섯째, 은퇴 후 교육은 두뇌 활동을 촉진하고 사회와의 연결을 유지하는 데 큰 도움이 됩니다. 평생학습 프로그램을 참여하거나 새로운 기술을 습득하고 활용함으로써 자기계발의 기회를 놓치지 않아야 합니다.

여섯째, 법률 및 정책 이해는 은퇴를 준비하고 계획하는 데 중요한 부분입니다. 노인 복지 정책과 은퇴 관련 법률을 정확하게 이해하고, 적절한 혜택과 지원을 받을 수 있는 방법을 파악해야 합니다.

이렇게 다양한 주제를 종합하여 준비하는 것이 성공적인 은퇴를 위한 여정의 핵심입니다. 이 책을 통해 제시된 조언과 정보를 실천 및 적용하며, 이들이 은퇴를 준비하고 계획하는 데 도움이 되길 바랍니다.

마지막으로, 은퇴는 인생의 새로운 시작이자 변화의 기회입니다. 이 책에서 제시된 가이드라인을 따르는 것도 중요하지만, 각자의 상황과 가치관에 맞게 유연하게 대처하는 것이 더욱 중요합니다. 개개인의 삶을 소중하게 여기며, 은퇴 후에도 꾸준한 성장과 발전을 추구하는 것이 성공적인 은퇴를 이루는 길이라고 할 수 있습니다.

이 책을 통해 은퇴를 준비하는 4050세대에게 도움이 되길 바라며, 모든 독자들이 건강하고 행복한 은퇴 생활을 즐길 수 있기를 기원합니다. 성공적인 은퇴를 위한 여정에 동참하신 모든 분들께 감사드리며, 이 책이 오랫동안 여러분의 인생에서 소중한 길잡이가 되길 바랍니다.

19.1. 적응과 변화를 수용하는 자세

은퇴는 인생의 중요한 전환기로, 새로운 삶의 단계를 맞이합니다. 이 변화에 대응하기 위해서는 적응과 변화를 수용하는 자세가 필수적입니다. 일상 생활의 패턴이나 취미, 관계 등 여러 가지 측면에서 변화가 발생하며, 이러한 변화에 유연하게 대처할 수 있는 자세를 가지는 것이 중요합니다. 은퇴 후 삶에서도 스스로를 계속 발전시키고자 하는 마음가짐을 유지하면서, 새로운 도전과 기회를 적극적으로 수용해야 합니다.

19.2. 긍정적 사고와 목표 설정

긍정적인 사고는 성공적인 은퇴를 위한 중요한 요소입니다. 은퇴 후에도 여전히 가치 있는 삶을 살 수 있다는 믿음을 가지고, 적극적인 자세로 삶의 질을 높이는 데 노력해야 합니다. 목표 설정은 이러한 긍정적 사고를 실천하는 데 도움을 줍니다. 은퇴 후에도 개인적인 발전이나 가족과의 관계, 건강, 경제적 안정 등 다양한 목표를 설정하고 이를 달성하기 위해 노력하는 것이 중요합니다.

19.3. 은퇴 후 삶의 질 향상을 위한 계획 실행

은퇴를 성공적으로 준비하고 계획하는 것만으로는 충분하지 않습니다. 은퇴 후 삶의 질을 높이기 위해서는 실제로 계획을 실행해야 합니다. 이 책에서 제시된 다양한 전략과 조언을 참고하여, 은퇴 후의 삶을 개선하는 데 필요한 구체적인 계획을 세우고 실천해야 합니다. 이 과정에서 시행착오가 있을 수 있으나, 꾸준한 노력과 변화를 수용하는 자세를 유지하며, 목표를 향해 나아가는 것이 중요합니다.

성공적인 은퇴를 위한 마음가짐은 적응과 변화를 수용하는 자세, 긍정적 사고와 목표 설정, 그리고 은퇴 후 삶의 질 향상을 위한 계획 실행을 포함합니다. 이 책을 통해 제시한 다양한 조언과 전략을 적용하면서, 은퇴 후의 삶을 더욱 풍요롭고 의미 있는 것으로 만들 수 있습니다. 은퇴를 기회로 삼아, 새로운 도전과 발전을 추구하는 것이 성공적인 은퇴를 위한 핵심입니다.

이 책을 마무리하며, 독자들이 성공적인 은퇴를 준비하고 계획하는 데 도움이 되길 바랍니다. 은퇴는 인생의 새로운 시작이자, 삶의 질을 높일 수 있는 기회입니다. 이 책에서 소개된 금융, 건강, 가족, 사회 활동, 교육, 법률 및 정책 등 다양한 주제를 참고하여, 자신만의 은퇴 계획을 세우고 실천해 나가길 바랍니다.

마지막으로, 성공적인 은퇴는 개인의 노력뿐만 아니라 가족, 친구, 지역사회와의 협력을 통해 이루어질 수 있다는 것을 기억해야 합니다. 서로 돕고 응원하며, 은퇴 후에도 행복한 삶을 추구하는 것이 중요합니다.

지금까지 "행복한 은퇴 완벽 가이드북"을 읽어 주셔서 감사합니다. 앞으로 은퇴를 앞둔 분들이나 이미 은퇴한 분들 모두에게 이 책이 가이드가 되어, 새로운 시작의 기회를 최대한 활용하여 의미 있는 은퇴 생활을 누리시길 바랍니다.